图解整理术

高效工作必备手册

図解 ミスが少ない人は必ずやっている「書類・手帳・ノート」の整理術

日本Sanctuary出版社 ◎ 编著

蒋春霞 李 珍 ◎ 译

中信出版集团 · CHINA**CITIC**PRESS · 北京

图书在版编目（CIP）数据

图解整理术/日本Sanctuary出版社编著；蒋春霞，李珍译.—北京：中信出版社，2015.10（2017.1重印）
书名原文：図解ミスが少ない人は必ずやっている「書類·手帳·ノート」の整理術
ISBN 978-7-5086-5406-5

I.①图…　II.①日…②蒋…③李…　III.①工作−效率−图解　IV.①C935-64

中国版本图书馆CIP数据核字（2015）第186953号

图解整理术

编　　著：日本Sanctuary出版社
译　　者：蒋春霞　李　珍
策划推广：中信出版社（China CITIC Press）
出版发行：中信出版集团股份有限公司
　　　　　（北京市朝阳区惠新东街甲4号富盛大厦2座　邮编　100029）
　　　　　（CITIC Publishing Group）
承 印 者：中国电影出版社印刷厂

开　　本：787mm×1092mm　1/32　　　　　印　　张：6.5　　　字　　数：105千字
版　　次：2015年10月第1版　　　　　　　印　　次：2017年1月第11次印刷
京权图字：01-2014-1573　　　　　　　　　广告经营许可证：京朝工商广字第8087号
书　　号：ISBN 978-7-5086-5406-5/G·1227
定　　价：28.00元

序

能解决 85% 工作失误的整理术完整版

　　如今，以整理术为题材的图书数不胜数，本书也使用了同样的术语，意义却有所不同。本书主要目的在于通过全面介绍以下三方面的整理术，应对商务场合中的挑战，避免由于手忙脚乱导致的工作失误。第一个整理术是运用归档技巧整理文件，从而创造一个对文件放置位置一目了然的工作环境；第一个是通过巧用手账整理信息，不仅能如期开展工作，还能积累好点子提高工作质量；第三个是巧用笔记本整理思路，客观把握大脑中的信息，理清思路，明确行动方向。通过多角度运用整理术，本书提出的 "85% 的工作失误可以通过整理术解决" 是完全可以实现的。如果你想解决或避免工作中出现的种种失误，阅读本书就是你的不二之选。

本书的使用方法

☑ 检查

要事应在电话沟通后发送邮件或传真确认

截止日期、交货数量等重要事情或与数字相关的信息，为防止出错，务必要用邮件或传真再次确认。将其写成文，避免日后出现"说过还是没说过"之类的纠纷。

为了有效运用整理术，本书简单易懂地介绍应掌握的要点，使没有任何知识基础的人也能一读就懂。

✕ NG（不好的例子）

注意不要过多使用彩色透明文件夹

过多使用彩色透明文件夹反而会导致重要程度不清楚。因为如果彩色透明文件夹太多，就不知道哪个是重要的了，因此使用时要尽量控制数量。

本书介绍一不小心就容易出现的常见误区。运用整理术时要注意留心这些小误区。

))) 采访 公司领导和资深员工篇

问： 归档对工作有哪些帮助？

通过归档，手头的文件变少了，也知道哪些文件放在哪里。因此，头脑很清晰，工作的速度和质量得以提高。

对商界成功人士进行了采访和问卷调查，本书将向大家介绍由此获得的相关信息。

∿ 数据

问： 工作中是否使用固定的工具？

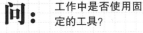

不一定 14%

不是 15%

是 71%

大部分人使用固定的工具。准备必要的工具即可，完善工作环境才是上策。

以上是针对商务人士的问卷调查结果，本书将对结果进行解读说明。

目　录

文档整理术

归档只需要准备尽可能少的必要工具即可。另外，平时储备些消耗品，就可以省去每次用完后又要准备的麻烦。

为了有效地进行工作，归档必不可少。为了归档能持之以恒，找到既适合自己工作特点又简单有效地归档方法是关键。

工作环境中如果到处都是文件，就无法及时找到需要的文件。因此，丢弃不需要的文件，在归档中是非常重要的。

利用透明文件夹，可以把文件夹按主题分类，并放在固定的位置。此外，还将介绍彩色透明文件夹的使用方法。

为提高文件和透明文件夹的查找效率，索引必不可少。此外还可以通过使用便笺，补充和加强查找功能。

手账整理术

笔记本整理术

文档整理术

归档所需的工具

归档中重要的不是工具，而是对归档系统的准确理解

透明文件夹和书立等是我们进行有效归档必不可少的工具，但我们并不主张把各类工具购买齐全。因为归档完成后可能会发现有些工具根本派不上用场，前期大量购置不但浪费金钱，而且放置这些工具还会挤占办公室里宝贵的归档空间。我们要明白的是：在归档过程中，工具并不是最重要的，对归档系统的正确理解和有效运用才是最重要的。

☐ 选择工具的原则

准备尽可能少的必要工具

归档前，我们不要一心想着备齐所有的工具，多余的工具会挤占宝贵的工作空间，并不可取。开始时，只需要准备必要的工具，在归档过程中如果有需要，随时购买即可。

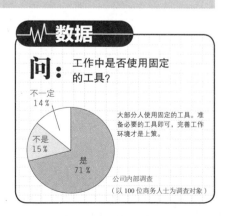

数据

问：工作中是否使用固定的工具？

- 不一定 14%
- 不是 15%
- 是 71%

大部分人使用固定的工具。准备必要的工具即可，完善工作环境才是上策。

公司内部调查

（以100位商务人士为调查对象）

☐ 储备工具减轻压力

正需要使用胶带时，却发现已经用完了。为避免出现此类情况，平时注意储备工具很重要。

▌储备消耗品

为使工作不中断，储备工具很重要

工具应该始终在固定位置存放保管，如果正要使用工具却发现已经用完了，会因此中断工作，并增加额外的压力。像笔和胶带之类的消耗品，平常可以多备些。但是，闲置时间久了有可能失效，因此也不宜储备过多。

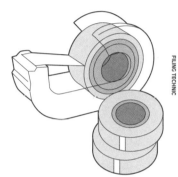

▌有多个工作场所时

创造一个能随时取用必要工具的坏境

有些人长时间在办公室之外的场所工作，我们建议他们不仅要在办公室放置一套必备工具，同时也要在其他工作场所准备一套。如果条件不允许的话，可以把必备工具放在专用的工具包里，以便随身携带。假如为了一个回形针而返回办公室，简直是在浪费宝贵的时间。

没有尺子……
必须回办公室取……

□　归档所需的必要工具

透明文件夹

归档就是按主题对文件进行分类，放入透明文件夹内管理。因此，透明文件夹是最重要的工具。

文件盒

在整理保管的文件时，如果文件过多而无法夹在透明文件夹里，则需要使用文件盒。文件盒有竖型和横型两种。

书立

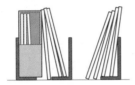

用于排列管理透明文件夹。根据具体情况，也可用文件盒或托盘等代替。

订书器

拆除订书钉时可使用订书机尾部的起钉器。

用于订多页文件。如果需要频繁抽取文件，还是用夹子或回形针更加方便。

✕NG

不要过于依赖高科技工具

有些人用扫描仪将所有文件数字化存入电脑，但有时反而会浪费额外的时间，那是由于没有真正理解归档系统，把不需要的文件也一并扫描了。因此，在引入高科技工具前，应清楚地理解这一点。

真的有必要这么做吗？

主题标签

用于提高文件的检索效率。把标签纸贴到透明文件夹上，可以一目了然地识别文件。

小包

用于整理公文包内的物品。利用小包对物品进行分类，可以方便地从公文包中取出所需物品。

托盘

用于分割抽屉内部的空间。用托盘对物品进行分类，可以快速取出所需物品。

名片盒

用于管理名片。以公司为单位，按字母顺序排列名片，可以快速取出所需名片。

☑检查

节省工具购置费用的方法

有的人可能不太愿意在归档工具上花钱。如果是这样，建议你去回收店或五元店之类的地方购买。在这些店里，可以用便宜的价格买到所需物品。然而，有人可能对工具比较讲究。对于这些人，建议你们不要在开始归档前买工具，而是在归档过程中购买需要的工具。如果事先准备了工具，实际归档过程中却用不上，就会造成浪费。

2

为何要归档?

首先要了解不归档的弊端

需要的文件怎么也找不到,想必很多人都有类似的经历。可是对于这件事,有多少人认识到其弊端了呢?假设,有人每天都要花5分钟时间来找文件,那么一年会浪费掉多少时间呢?以外,除了找纸质文件,还有找电子版文件、找名片等的时间,这些浪费的时间都是不可小觑的。由此可见,如果不归档就会妨碍工作。换句话说,归档是提高工作效率的必备技巧。

□ 何为归档?

为提高工作效率而归档

从本义上来看,所谓归档,是指按某一标准对文件进行整理。但是本书介绍的归档不仅仅指文件的整理方法,还包括办公桌的布置方法、电脑文件的整理方法,以及名片和公文包的整理方法等。我们认为,只有工作相关的所有物品都充分发挥作用,才能创造一个高效的工作环境。

))) 采访 公司领导和资深员工篇

问: 归档对工作有哪些帮助?

通过归档,手头的文件变少了,也知道哪些文件放在哪里。因此,头脑很清晰,工作的速度和质量得以提高。

31岁,男性,保圣那集团人事部

归档的好处

你想通过归档达到怎样的效果呢？首先明确这一点不但会增加对归档的兴趣，而且更容易达到预期效果。

随时找出所需文件

文件和文件夹存放的位置一目了然，因此能立刻找到自己需要的文件和别人索取的文件。

帮助整理思路，促进新想法的产生

整理工作环境，可以使思路保持清晰，并且有助于新想法的产生。

活用以往工作中的经验

如能保管好以往的工作文件，将有助于在新工作中活用以往的工作经验。

轻松地进入工作状态

堆积如山的文件不见了，仅此就能减轻工作带来的心理压力，并使人心情愉快地专注于工作。

□ 在未经整理的环境中工作的弊端

我们来确认一下，一个未经整理的环境将给工作带来多大的障碍，由此我们也可以更好地理解归档的重要性。

①无法高效工作

②失去周围人的信任

需要的文件和文件夹怎么也找不到，日常工作中有类似经历的人需要特别注意。工作一旦被中断，注意力无法集中，再次集中注意力又需花费时间。同时，这也会导致压力积聚。此外，因找文件而花费时间，以致重要会议迟到等事例比比皆是。这样就有可能失去周围人的信任。

未经整理的工作环境会给周围人留下不良印象，可以说是百害而无一利。

工作不能顺利开展，压力倍增，极端情况下甚至会对工作失去信心。

∿ 数据

留意他人的目光

在一个未加整理的环境中工作，不仅仅是个人问题。看到文件堆积如山的脏乱桌子，同事也会感到不舒服。如果被公司外部的人看到，甚至还会影响公司形象以致带来损失。

问： 即便看到办公桌上文件堆积如山，也不会产生不快之感吗？

是 19%

不是 81%

大部分人看到文件堆积的脏乱桌子会感到不快。

公司内部调查（以100位商务人士为调查对象）

☐ 坚持归档的秘诀

归档是工作中必不可少的技巧，下面将介绍持久轻松归档的秘诀。

①归档应简单易行

②归档应提高工作效率

"太麻烦了""人忙了""没看到效果"
等无法坚持归档的理由因人而异，各不
相同。为解决上述问题，让归档变得简
单易行且效果明显非常重要。如果大家
在工作过程中能切实体会到归档省时、
省力、方便等好处，就不会找出各种理
由拒绝归档了。

问题 1：曾经试过归档吗？

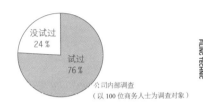

公司内部调查
（以 100 位商务人士为调查对象）

问题 2：放弃归档的原因是什么？

尽管原因各有不同，
但可以看出很多人没
有成功归档的体验

✔检查

以自己的方式归档

每个人的工作内容和做事方式都
不尽相同、各有特点。为此以本
书的归档法为基础，根据自身实
际情况归档就尤为重要。照本宣
科地采用本书的所有归档法反而
难以持久，因此只采用自己所需
的部分为佳。

3

清理不再使用的文件

了解丢弃文件的方法并坚持执行

在归档中非常重要的一点是丢弃不需要的文件。因为只有能随时找到所需文件，归档才会发挥作用。我们将介绍区分"应该丢弃的文件"和"应该保留的文件"的判断基准，以及丢弃文件的有效方法。当然，即便很好地掌握了丢弃文件的方法，如果不能持之以恒，还是无法创建一个高效的工作环境。因此，应该找到适合自己的节奏，如：每周一次或每月一次专门安排出丢弃文件的时间，当大量文件产生时应随时清理。

□ 丢弃文件时的心理准备

应该丢弃的文件是指估计今后不会再用到的文件

如果有限的工作空间已经被文件占据了一半，那么工作必然会受到阻碍。由此可见"丢弃文件"是何等重要。丢弃文件时，要想清楚"今后是否还会用到该文件"。不再有用的文件即便保存下来，也不会对工作有任何帮助。

))) 采访 公司领导和资深员工篇

问：丢弃文件后有后悔过吗？

大部分人认为丢掉也没问题。

有 24%

没有 76%

公司内部调查
（以100位商务人士为调查对象）

丢弃和保留的判断方法

尽管丢弃文件非常重要，但如果连有用的文件也丢掉的话，那就成问题了。
在此介绍"应该丢弃的文件"和"应该保留的文件"的判断标准。

文件堆积容易、丢弃难，因为判断哪些该
丢、哪些该保留是一件麻烦的事。丢弃文
件时，要考虑今后工作中是否还会用到。
如此一来，便会发现很多文件其实不再需
要，却一直被保存着。下面的表格，对具
体如何丢弃文件进行了总结。

到底该扔掉哪些
文件呢？

▌文件类别
▌丢弃和保留判断表

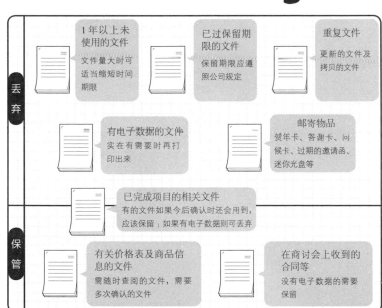

丢弃			
1年以上未使用的文件 文件量大时可适当缩短时间期限	已过保留期限的文件 保留期限应遵照公司规定		重复文件 更新的文件及拷贝的文件
	有电子数据的文件 实在有需要时再打印出来		邮寄物品 贺年卡、答谢卡、问候卡、过期的邀请函、迷你光盘等
保管	已完成项目的相关文件 有的文件如今后确认时还会用到，应该保留；如果有电子数据则可丢弃		
	有关价格表及商品信息的文件 需随时查阅的文件，需要多次确认的文件		在商讨会上收到的合同等 没有电子数据的需要保留

☐ 文件的清理方法

在此介绍文件的清理法则。这是对不需要的文件在短时间内进行丢弃处理的方法，请一定试着使用。

▌丢还是不丢，判断要迅速

在处理堆积的文件时，首先把所有文件集中到大箱子里，然后从里面找出今后会用到的文件。尽可能在短时间内迅速做出判断，时间越长只会让你越难舍弃文件。另外，也可以对散落在办公桌上、办公桌周边、抽屉里等各个地方的文件逐一判断，但那样会花费大量的时间，因此算不上是有效的方法。

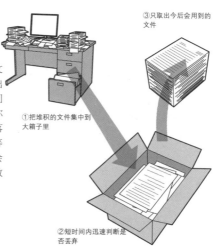

③只取出今后会用到的文件

①把堆积的文件集中到大箱子里

②短时间内迅速判断是否丢弃

☐ 对文件是否应该丢弃有疑问时可暂时保留

暂时保存

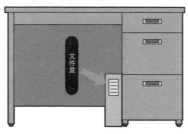

文件盒

有时候也会出现丢掉的文件事后再次需要的情况。为避免出现此类情形，可制定如下规定：如果难以判断，可先暂时保留，下次如果还是难以判断就立刻丢掉。

和公司领导、资深员工商量

这个文件丢掉没关系吧？

有些情况下，与其自己擅自判断，不如找有经验的公司领导和资深员工商量。另外，如果到底能不能丢的决定权不在你手里，应立刻和相关人员商量。

☐ 平常不增加文件量的办法

除了"丢弃文件"，具备"不增加文件量"的意识也很重要。如此一来，可以把文件量控制在最小限度内。

在文件上标注期限日

期限
2001
1004

在文件右上角
注明完成日期

销售部○○○

报告书

收到文件后，在上面注明该文件的大致"有效日期"。凭此在丢弃文件时可轻松判断。另外，还可以注明文件的接收日期和简单的内容概要。

用电子邮件接收文件

文件　编辑　显示　插入　格式

发送

收件人　●●●●@●●

抄送　　●●●●@●

文件名

使用电子文件
可以减少纸质
文件的处理

附件

向客户和公司领导索要文件时，尽可能不要纸质文件，要电子文档，这样可以避免纸质文件数量的增加。如果是 PDF（便携式文档格式）文件还无须担心文件被改动，发件人也会比较放心。

✓ 检查

含有个人信息的文件的销毁方法

现代社会的信息交互需求异常庞大，相关信息的管理就成了重要课题，尤其是对个人信息，更要谨慎处理，一旦流传到外部，就有可能产生不必要的麻烦。在处理含有个人信息的文件时，可以采用碎纸机碾碎等可靠的处理方式。

4

归档的基本方法（文件篇）

透明文件夹是归档成功的关键

把按主题分类的文件放入透明文件夹内，并竖着放在固定位置，这个简单的系统就是归档的基本方法。其关键点是透明文件夹的安放位置。假如没有透明文件夹，文件会因无法分类而散乱无章。如此一来，就无法及时找到所需要的文件。另外，文件用完后，要记得放回原来的透明文件夹内。虽然忙碌时容易忽略这一步，但若不好好遵循，归档的效果也会大打折扣，并导致再次回到不知文件放在哪里的混乱状态。

用透明文件夹管理文件

轻便好用，归档必需的工具

我们通过采访著名企业的员工了解到很多人在利用透明文件夹进行各自的归档。在诸多理由之中，"只要夹一下文件就可以完成，很方便"这一条被提及的次数最多。本书也把透明文件夹作为归档的基本工具，并逐一介绍其对工作的促进作用。

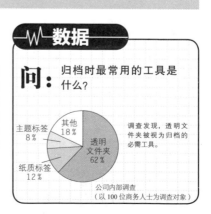

数据

问：归档时最常用的工具是什么？

主题标签 8%
其他 18%
透明文件夹 62%
纸质标签 12%

调查发现，透明文件夹被视为归档的必需工具。

公司内部调查
（以 100 位商务人士为调查对象）

☐ 使用透明文件夹的好处

查找资料更方便

使用透明文件夹按主题对文件进行分类，便于找到所需资料。此外，由于文件夹是透明的，可直接看到里面的内容，更便于查找。

文件不会被折坏、弄脏

将文件放入透明文件夹后，可以放心地装在公文包里。特别是放合同等重要文件时，透明文件夹必不可少。

防止文件丢失

随便乱放文件很容易导致文件丢失，使用透明文件夹整理文件就可以不再为此担心。

携带方便

开会、讨论时，可以把资料汇总在一起随身携带。放入、取出也很方便。

营业会议的报告是这样啊!

☐ 将资料放入透明文件夹

这里介绍把文件放入透明文件夹的简单方法。这是归档的基本步骤，请一定试试看。

主题A　主题B　主题C

对文件按主题进行分类，分别放入透明文件夹。如果某个文件涉及多个主题，复印后分别放入不同的透明文件夹。

✓检查

文件纸张统一为A4纸

如果文件纸张大小不一，就很难用透明文件夹整理。因此平时就要想办法注意，例如：向别人索要文件时请对方使用A4纸提供文件，打印时也统一使用A4纸。

□ 对透明文件夹进行分类

按主题对透明文件夹进行分类后，下一步是按工作进展情况对其进行分类，这是归档中最重要的部分。

 步骤1 对透明文件夹按
"处理中""暂存""保留"进行分类

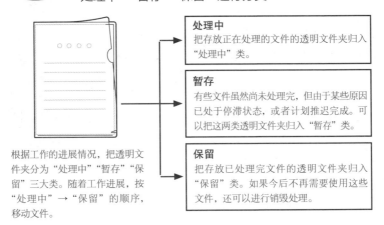

根据工作的进展情况，把透明文件夹分为"处理中""暂存""保留"三大类。随着工作进展，按"处理中"→"保留"的顺序，移动文件。

处理中
把存放正在处理的文件的透明文件夹归入"处理中"类。

暂存
有些文件虽然尚未处理完，但由于某些原因已处于停滞状态，或者计划推迟完成。可以把这两类透明文件夹归入"暂存"类。

保留
把存放已处理完文件的透明文件夹归入"保留"类。如果今后不再需要使用这些文件，还可以进行销毁处理。

步骤2 透明文件夹的摆放位置
和移动方法

透明文件夹的移动方法

处理中
把因故暂停或计划推迟完成的文件移到"暂存"类。已经处理完成的文件移到"保留"类。今后不会再使用的文件可以销毁。

暂存
工作已经完成的文件移到"保留"类。今后不再用到的文件可以销毁。

保留
按一周一次或一个月一次的频率，重新整理各个透明文件夹，并判断维持原样还是销毁。

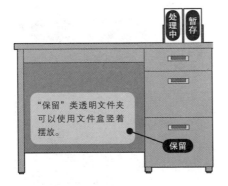

"保留"类透明文件夹可以使用文件盒竖着摆放。

桌子上不能放置文件时

里面

保留

暂存

处理中

外面

透明文件夹的移动方法和前面介绍的相同。但"处理中""暂存""保留"的空间分割应使用横型文件盒。这样可以把文件夹竖着放，便于看到文件夹里面的内容。

文档整理术

FILING TECHNIC

有的公司规定不能在桌上放文件物品等。这种情况下可利用最下面的抽屉下段，设置"处理中""暂存""保留"空间，用于收纳透明文件夹。

横型文件盒

☐ 活用彩色透明文件夹

在无色透明文件夹里夹杂彩色文件夹会很显眼。在此介绍活用彩色文件夹，让透明文件夹更显眼的方法。

活用色彩提高文件夹的区别度

把放在"处理中"区域的透明文件夹，按照紧急工作用红色，重要工作用蓝色，本周内必须完成的工作用黄色放置。这样一来，视觉上和其他透明文件夹可以区别开，工作先后顺序也一目了然。

✕NG

注意不要过多使用彩色透明文件夹

过多使用彩色透明文件夹反而会导致重要程度不清楚。因为如果彩色透明文件夹太多，就不知道哪个是重要的了，因此使用时要尽量控制数量。

 红：紧急　 **蓝**：重要　 **黄**：本周内

---

5 利用索引提高检索效率

首先确认工作环境是否需要索引

本书所说的索引，是指为了更加方便地找到透明文件夹和文件而制作的标题。当然，有些工作文件数量并不多，这种情况下直接找会更快捷，没有必要特意制作索引。也就是说，需要制作索引的只限于那些不能立刻找到透明文件夹或文件的情况。如果可以扔掉今后不再需要的文件，而且文件数量没有多到需要制作索引，这样的工作环境当然是最理想和高效的。

□ 索引的必要性

有利于提高检索效率

仅把文件分类放入透明文件夹，已经在很大程度上方便查找文件了。但是，随着文件和透明文件夹数量的增加，就必须考虑进一步提高检索功能这个问题了。这时就需要活用索引。本书将介绍便于查找文件和透明文件夹的有效使用索引的方法。

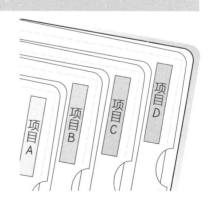

☐ 透明文件夹的索引

在这里介绍用于提高透明文件夹检索效率的工具，即标题标签的活用方法。
这个小工具也可用于双孔文件夹等。

活用标题标签

使用标题标签，可以对内容一目了然

使用标题标签后，对于哪个透明文件夹
内放了哪些文件，可一目了然。但是，
如果透明文件夹重叠在一起就不容易看
清楚，所以要竖着放。

标签贴到右上角，无论竖放还是横放都
很容易看到。

固定资产

给标题标签命名

按主题区分

①按项目区分　　②按工种区分
③按时间区分　　④按场所区分
⑤按客户区分　　⑥按问题区分

标题的关键词必须能明确传递透明文件
夹内的文件信息。本书推荐按照"主题
区分"的方式对标题进行分类。比如可
以"按项目区分""按时间区分"。

样式①
标题最好能比较具体。比如
标题按客户名称区分的话，
写上客户名称即可。

不固定资产

样式②
如像"项目名＋场所"这
样，用多个关键词写标题
时，关键词最多不要超过
三个，太多的话反而容易
混乱。

开发—东京

☐ 文件的索引

接着前面介绍的透明文件夹的索引，我们再来看一下文件的索引。文件索引的关键是，文件到手后要立刻在上面注明必要的信息。

▌利用文件索引节省反复阅读的时间

一目了然地把握内容

在文件上标注索引的理由，和给透明文件夹贴标题标签一样，都是为了一目了然地把握文件内容。但两者标注的内容不同，文件索引要抓住"日期""文件内容要点""笔记"三点。而像合同及需要提交给客户的文件，如果不能在上面直接标注，可以先写在便笺上，再贴到文件上。

①日期（记录日）
②文件内容的简单要点
③笔记（相关情况信息）

为了能更轻松丢弃文件，还可以加注"有效日期"（参照第 13 页）。

✔ 检查

文件数量较多时，可以使用索引标签

透明文件夹内文件数量较多时，可使用索引标签。因为索引标签可以露在文件外，这样不用取出文件就可以把握文件内容。但文件数量较少时使用反而更混乱，建议文件超过 50 页时使用。

索引标签

☐ 用便笺作为索引的补充

为进一步提高透明文件夹和文件的检索效率，可以使用便笺。但是，制作过多的索引，反而适得其反，这一点需要多加注意。

将便笺活用于透明文件夹

用便笺制作文件目录

透明文件夹里夹着哪些文件，把相关要点记在便笺上。结合标题标签一起看，可以更好地把握文件夹及文件内容。而且，这也可以作为丢弃文件时的判断依据。

在较大的便笺上写下文件的简单要点。

将便笺贴到透明文件夹里最上面的文件上。贴到透明文件夹上时可以用胶带加固。

将便笺活用于文件

活用便笺以便有效使用文件

除第 20 页介绍的文件索引外，如果还想标注其他内容，可以记在便笺上。此外，如果对文件出处及使用经历予以整理标注，也可以成为开展下一项工作时的重要参考资料。

如果文件只有一页，还是直接读一下比较快。所以，便笺适用于多页文件。

6

文件夹与文件盒、双孔文件夹的使用区别

选择文件夹时应考虑与文件的匹配度

　　根据文件的数量和特点，有时候不一定选用透明文件夹，而是使用其他类型的文件夹会更好。因为不同的文件夹功能不同，与文件的匹配度也不一样。例如，透明文件夹的特点是便于查找文件，而文件盒的特点是可以收纳更多的文件。此外，比如双孔文件夹适合依据年份长期保管文件等。因此在选择文件夹时，从哪种文件夹可以使工作更为便利这个角度考虑是非常重要的。

文件盒的使用方法

按主题区分的文件较多时

按主题区分的文件较多时，可以使用文件盒。因为有固定的尺寸，便于管理文件。但是，把文件放入文件盒时，应先用透明文件夹按属性分类，否则不利于文件的检索。

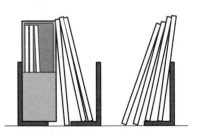

用透明文件夹把文件详细分类后，竖着放到文件盒里。

☐ 双孔文件夹的使用方法

双孔文件夹虽然在取放文件时比较麻烦，但文件不易丢散，因此便于按时间顺序管理文件。

> ☐报告书
> ☐会议纪要
> ☐报价单（财会相关）等

▌平面文件夹

便于按时间顺序管理文件，但装订文件比较麻烦。

▌环形文件夹

如果平面文件夹的年用量超过 3 个，则可以考虑使用有一定容量的环形文件夹。

▌档案活页夹

档案活页夹适用于管理小册子和商品目录等，其缺点是不便翻阅。

▌文件盒的保管方法

保管文件盒时，应尽量清理不需要的文件，可能的话以透明文件夹、双孔文件夹为单位进行保管。另外，若文件能合并到共用文件夹里，尽量放到共用文件夹里。

✔ 检查

利用共用文件夹，节省个人工作空间

因为个人工作空间有限，所以如果文件能放入共用文件夹，就把它移到公司的保管场所保存。但是，公司内共用文件夹的使用几乎都有一般规定，因此应遵守相关规定。

7

传真的归档方法

"收到传真后要立刻确认"是不成文的规定

经常有人因为太忙，把传真的确认和管理工作推后进行。但是，考虑到传真的特点，我们会发现这是一个错误的做法。很多传真设有有效期限，一旦过了期限就没有意义了。如果只是活动的请帖之类还不会有什么问题，但如果是重要工作的截止日期通知，问题就非同小可了。也就是说，收到传真之后应该立刻确认，回复，有需要时还应立刻将通知传达下去。此外，和其他文件一样，今后还有用的就保存起来，不再需要的就丢弃。

延误确认传真可能存在的隐患

□尚未确认就丢失
传真文件为多张纸时，事后才发现缺页。

□紧急要件
本来是某个大型研讨会的邀请函，但确认时已经过了报名截止日期。

□文字有损无法阅读
文字不清无法阅读。但事到如今已经无法要求对方再次发送了。

怎么可能有？

上个月您发给我们的传真还有备份文件吗？

24

□ 传真的归档流程

紧急要件及研讨会的邀请函之类，即便事后确认也没有意义了。所以无论多忙都要养成立刻确认传真的习惯。

收到传真后应马上处理

收到传真后应立刻确认内容，并且在传真右上方标注接收日期。有多张文件时用订书机订起来。

需要回复时

如果需要回复，应立即回复，然后判断保留还是丢弃传真。如果是需要保留的，并且与某个项目有关的，应将其汇总后放入透明文件夹。如果传真内容和任何项目都无关的，可以归入事先设置的"其他"类透明文件夹内。

只需阅读即可时

与上述"需要回复"的情形一样，首先判断传真是保留还是丢弃。如果需要保留，将之放入合适的透明文件夹。

无法马上处理时

暂时把文件放到暂缓文件夹中，定期进行确认。到时，即便传真与某个项目有关，也不要把它放到该项目的透明文件夹内，而应使用传真专用的透明文件夹。

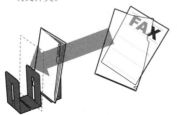

☑检查

根据需要复印传真

通常情况下传真使用的纸张尺寸是不统一的。因此，对那些需要保管的传真，可以统一复印为A4大小。因为一般使用的透明文件夹多为A4大小，如果放入尺寸不一的纸张，会难以管理。此外，传真复印好之后，原件就可以丢弃了。

8

发票的归档方法

正因为管理方法简单所以能持久适用

　　"发票的清算很费时""有的发票不知道是什么""交通费不好把握"等等，有关发票的烦恼可谓多种多样。为什么发票如此令人敬而远之呢？恐怕还是因为大多数人没有明确的管理方法，每次都临时应付。也正是这个原因导致清算发票时费时费力。在这里，我们推荐按时间顺序排放发票，并将之放入透明文件夹的简单管理方法。这一"简单"的特点正是能持久适用的原因所在。

☐ 处理发票时的注意点

　☐不要放在钱包里
　☐不要折叠发票
　☐不要装在纸质信封里管理

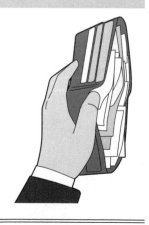

经常能看到有人把发票放在钱包里，但这样容易和收据、卡等混在一起，如果不注意可能会被一起扔掉。另外，整理发票时，尽量不要折叠。因为折叠后容易破损，也容易导致汇总发票时占据空间。再有，我们也不建议用纸质信封装发票，因为那样不容易看到里面的内容，不便于整理。

□ 发票的管理方法

█ 用透明文件夹管理发票

管理不同尺寸的发票的方法

发票可能大小不一，因此可以使用A4大小的透明文件夹。该文件夹最好放在物品流动相对不频繁的地方，例如抽屉中段一般使用频率较低，不用担心文件夹丢失。

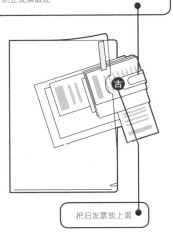

把发票放入透明文件夹时，用回形针固定可防止发票散乱

把旧发票放上面

█ 交通费的管理方法

活用手账，以防漏记

管理交通费时，可以活用手账。手账一般随身携带，因此每次外出时做好记录就不用担心漏记。如果公司有规定格式的经费清算表格，可以把表格夹在手账里。直接记录在表格上，也可避免事后再次抄写。

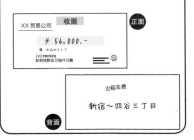

✓ 检查

记入发票内容

为避免事后忘记究竟是什么发票，记得在发票背后写明内容。如果是出租车票，可以注明起终点。

公文包的归档方法

公文包可以改变给他人留下的印象

　　有人认为一个人对工作的热情、能力及品格会体现在他使用的工具上。虽说人靠衣装马靠鞍，但这并不是说让人去买高级物品，而是说一个人的品格会如实体现在这个人对工具的使用上。可以说公文包也同样如此。如果公文包因装满东西而鼓胀，不仅不会给人留下好印象，而且会遇到例如不方便取出物品等诸多问题。在此，我们将介绍如何选择公文包，以及如何整理包内物品。特别对那些经常外出的商务人士而言，可以说公文包是一个值得好好研究的问题。

☐ 公文包需要归档的理由

物如其人

如果包内塞满物品，所需物品就无法马上被找到。而且在周围人看来，即便不会认为其工作能力不行，至少也不会留下好印象。也就是说，工具能直接体现使用者的能力。由此，想必你就可以理解公文包归档的必要性了。

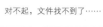

对不起，文件找不到了……

☐ 公文包的选择方法

无论如何整理公文包，如果包本身的功能性太差，那也就没有整理的意义了。在此介绍公文包的选择方法。确认你用的包功能是否太少，是否适合商务场合。

选择公文包时的注意点

☐是否轻便
☐是否不易变形
☐是否防水
☐是否可以立在地面上

☐款式和颜色是否与西服相配
☐内侧是否有隔层和口袋
☐外侧是否有口袋
☐提手长度是否适宜

如果满足上述条目，该公文包就可以被有效灵活地使用了。而且，在商务场合使用也没有问题。

☑检查

商务场合背挎包好吗?

需要腾出手做点儿什么时，挎包不必放到地上，所以很方便。虽然也有人觉得不适合，但现在用的人很多应该没问题。但是，购买时一定要选择有提手的，这样外出时可以使用肩带，访问客户时又可以把包带收起来。

☐ 公文包的归档流程

公文包归档的关键就是只把必需品分类放入包里。这点如果能做到，公文包的使用效能就会大大提高。

步骤 1
只放入必需品

如果把觉得或许会用到的物品全部放到包里，包很快就会鼓鼓囊囊。而且因为东西太多，不便于立刻取出所需物品。东西过多会降低包的使用功能。要解决上述问题，必须首先判断必需品和非必需品，减少放入包内的物品数量。

> **经常会被随意遗忘在包里的物品**
>
> ☐ 和经费无关的收据
> ☐ 过期的邀请函
> ☐ 旧文件和杂志
>
> 这些物品很容易被遗忘在包里。因为是工作中用不到的物品，所以应尽快处理。

☑检查

考虑公文包内的布局

拜访客户时，有时需要打开公文包。这时如果被客户看到包里装有体育杂志之类的，会是什么样的情形呢？大多数客户可能不会在意，但或许也会有人因此被留下不好的印象。如果这样的话，就会因这点儿小事破坏了和客户的关系。防患于未然，有必要考虑包内布局设置。很多公文包里面有隔层设计，可以对此加以灵活应用。首先，第一层（靠近客户那层）可以放资料、笔记等与工作相关的物品，里面一层放个人物品。如此一来，就可以避免让客户看到不必要看到的物品了。

步骤 2
根据用途分门别类

将物品减少到满足所需的最低限度后，接下来要根据用途对其分类，分别装入小包。利用小包对物品进行分类，要替换物品时也很方便。特别是女性，一般会根据服装搭配不同的包，因此强烈推荐用小包管理物品。

商务用小包

☐笔记本
☐笔
☐便笺
☐录音笔
☐U盘
☐数码相机

笔记本、圆珠笔等工作时需要的物品放入这个小包。名片盒也可以放在里面。

个人用小包

☐手帕
☐纸巾
☐常备药品

这个小包用来放纸巾、手帕等个人物品。女性还可以准备一个化妆包。

☐装有文件的透明文件夹
☐笔记本
☐空的透明文件夹（用于存放客户给的文件）

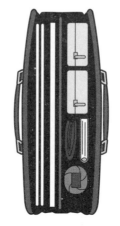

前面

后面

☐个人用小包
☐商务用小包
☐钱包
☐手账
☐折叠伞

10 办公桌布局的基本方法

办公桌布局是指明确物品的摆放位置

"有的抽屉里不知道放了什么东西"，这么想的人肯定不少。这种状况下就无法立刻找出所需物品，可以说是个低效的工作环境，而且还会给周围人留下"邋里邋遢"的印象。那么为什么会出现这种情况呢？这是由物品的摆放位置不明确导致的，而改变现状的方法就是改变办公桌布局。说到布局，似乎让人觉得挺难的，其主要对象就是抽屉。虽然也包括桌面，但由于电脑、电话等物品数量较少，所以很容易布局。

☐ 理想的办公桌布局是什么样的呢？

任何办公桌布局都是有依据的

通常，电话放在桌子左边，这是考虑到习惯使用右手的人可以一边用左手接电话一边用右手做笔记。因此，办公桌布局是有规律可循的。理想状态是，坐在椅子上时想要的东西都可以随手拿到。如果能达到这样的理想状态，就可以避免不必要的麻烦，工作也能顺利进行。

功能化的办公桌布局 ＝ 高效率的工作

□ 办公桌布局的原则

①每个抽屉所放物品固定

②物品用完后放回原处

③下班前整理桌面

在考虑办公桌布局时，应该明确桌面和每个抽屉里各放什么物品。否则就会不清楚什么东西放在了哪里。另外，好不容易完成了功能化的办公桌布局，但一段时间后又回到原始状态，这就没有意义了。因此，物品使用后一定要放回原处，下班前记得要把桌面收拾干净。

问： 你下班前会整理办公桌面吗？

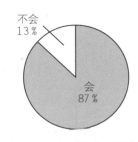

不会
13%

会
87%

我们发现，一半以上职员在下班前会整理办公桌。其中最主要的理由是"第二天可以心情轻松地投入工作"。也就是说，养成整理桌面的习惯，不仅可以维持理想的工作环境，还可以让人以更好的精神状态投入工作。

公司内部调查
（以100位商务人士为调查对象）

×NG

桌子周围不要放私人物品

很多人喜欢把私人物品带入工作场所。虽然有人认为那样利于放松，但这样也有可能导致工作空间和归档空间被挤占，给工作带来不便。不但如此，这种做法也可能招来他人厌恶的目光。如果是公司内部的人看到了，或许会被原谅；如果被公司外部的人看到了，不仅会影响个人形象，还会破坏对公司的整体印象。

□ 制定抽屉的使用规则

个人所用的物品一般都放到抽屉里面。换言之，为了能立刻取出所需物品，抽屉的布局非常重要。

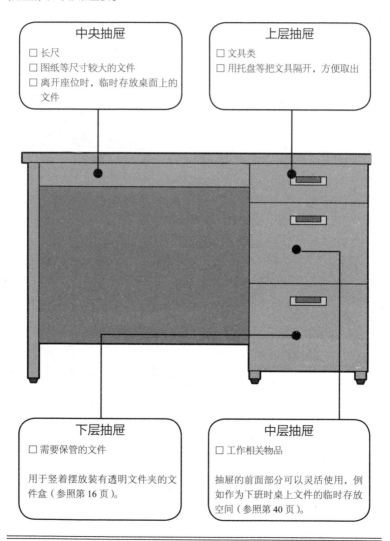

中央抽屉

□ 长尺
□ 图纸等尺寸较大的文件
□ 离开座位时，临时存放桌面上的文件

上层抽屉

□ 文具类
□ 用托盘等把文具隔开，方便取出

下层抽屉

□ 需要保管的文件

用于竖着摆放装有透明文件夹的文件盒（参照第 16 页）。

中层抽屉

□ 工作相关物品

抽屉的前面部分可以灵活使用，例如作为下班时桌上文件的临时存放空间（参照第 40 页）。

制定收纳清单，明确物品摆放位置

构建一个即便忘记了也没有关系的收纳体系

如果想更好地明确物品摆放位置，就为放在抽屉里的物品制作一个清单，并把它放到手账、口袋里等容易看到的地方。人的记忆是不可靠的，因此构建一个即便忘记了也能想起来的体系非常重要。

上层抽屉
☐ 笔　　　　　　　　☐ 涂改液
☐ 自动铅笔芯　　　　☐ 夹子
☐ 订书器　　　　　　☐ 胶带
☐ 橡皮　　　　　　　☐ 计算器
☐ 剪刀　　　　　　　☐ 信封
☐ 裁纸刀　　　　　　☐ 便笺
☐ 尺子　　　　　　　☐ 打孔器

中层抽屉
☐ 笔记本　　　　　　☐ 名片夹
☐ 透明文件夹　　　　☐ 常备药
☐ 印章　　　　　　　☐ 词典
☐ 名片册　　　　　　☐ 商务书籍

下层抽屉
☐ 保管类文件

中央抽屉
☐ 长尺　　　　　　　☐ 图纸

✅ 检查

完全确保办公桌的安全性

下班时当然不用说，上班时也要记得给抽屉上锁。也许有人会认为公司里不会发生偷窃行为，但一旦发生就来不及了。特别是有关个人信息的文件一旦丢失，会殃及整个公司。为了不发生此类事情，安全管理工作在平时就要彻底实行。

11

桌面的布局

考虑物品放置的意义，更好地发挥布局的功能

　　把桌面空间分为 6 块，就会比较容易布局。比如，正面的中央空间，用于制作文件或操作电脑等实际作业，除键盘外什么都不放。此外，作为存放工作中所需资料的临时空间，可以把正面左边的空间空出来。正前方靠后的空间用于放电脑，因为这样坐在椅子上看电脑屏幕最舒服。如此，物品的摆放都是有其意义的。理解这一点，可以更好地发挥布局的功能。

☐ 通过物品摆放来提高工作效率

有效地放置最低限度的必需物品

办公桌是用于制作文件、操作电脑等进行实际作业的空间。如果上面放了太多的物品就会影响工作。在考虑桌面布局时，要记得留意只放置最低限度的必需物品。此外，诸如把所有物品都放在伸手可及的地方这类能够有效地促进工作的物品放置方式也是非常重要的。

工作空间没有了……

□ 桌面的布局方法

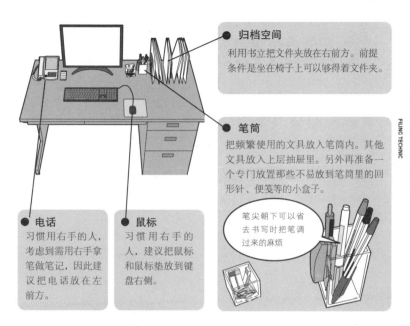

● 归档空间

利用书立把文件夹放在右前方。前提条件是坐在椅子上可以够得着文件夹。

● 笔筒

把频繁使用的文具放入笔筒内。其他文具放入上层抽屉里。另外再准备一个专门放置那些不易放到笔筒里的回形针、便笺等的小盒子。

笔尖朝下可以省去书写时把笔调过来的麻烦

● 电话

习惯用右手的人，考虑到需用右手拿笔做笔记，因此建议把电话放在左前方。

● 鼠标

习惯用右手的人，建议把鼠标和鼠标垫放到键盘右侧。

·)) 采访 公司领导和资深员工篇

方便拨打电话的小方法

接受采访的野村房地产公司的一位男士为了便于拨打电话把电话斜着放置。虽然算不上有划时代意义的发明，但这类小点子的集合会促使工作更有效率。比这更重要的是，自己开动脑筋这种积极的态度。

> 野村不动产 住宅公司
> 住宅建筑部 建筑科 男性

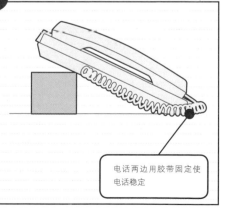

电话两边用胶带固定使电话稳定

12

抽屉的布局

结合抽屉的特点布局

　　由于抽屉的大小不一，所以有方便放东西和不方便放东西之分。如果不考虑这一点而硬生生地把东西放到里面，会使物品的放取不方便。因此，在考虑抽屉布局时，要根据抽屉样式来决定物品的放置位置。此外，抽屉的结构是，前面部分方便放取物品，越往后面越需要打开抽屉，放取物品也越不方便。因此，建议前面部分用来放经常使用的物品，后面部分放置不太常用的物品。

□ 对每个抽屉进行分工

未经整理抽屉的缺点

如果不确定抽屉布局，就会弄不清哪里放了什么东西，有时甚至会导致物品丢失。如果处于这种情形的话，不仅不能及时地取用所需物品，还会浪费宝贵的收纳空间。

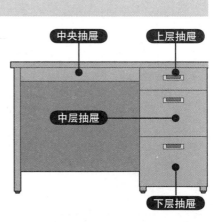

中央抽屉　上层抽屉

中层抽屉

下层抽屉

□ 上层抽屉的布局

上层抽屉因为不够高，适合放文具等小件物品。我们一起来看一下如何摆放各类文具。

用托盘将文具隔开放

为了方便看到文具，并能方便取用，可以把抽屉内部空间分割。如果能把不同形状的文具加以组合，就可以分割成适合放文具的小格子。此外，在收纳文具时，为了减少在工作中增加压迫感，要记得确认是否有笔已经用完了。

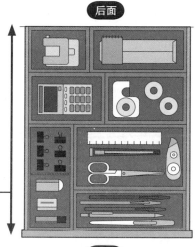

后面

根据使用频率决定放置位置 ●

抽屉前面部分用来放经常使用的物品，越往后面可以放使用频率越低的物品。

前面

))) 采访 公司领导和资深员工篇

确保抽屉内不凌乱

你是否也有类似的经验，即随着抽屉的反复使用，里面的物品就变得凌乱了。即便使用了托盘，如果托盘大小不是刚好能把抽屉填满，还是有可能变乱。因此，在放置托盘时，可以在底面贴上胶带加以固定。

野村不动产 住宅公司
住宅建筑部 建筑科 男性

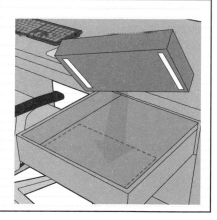

☐ 中层抽屉的布局

中层抽屉有一定的高度，可以收纳上层抽屉放不下的物品。例如放工作用的参考资料，使用相对自由。

自由度较高的存放空间

中层抽屉没有规定一定要放置的物品，是可以自由使用的空间。可以放上层抽屉放不下的物品，或者使用频率较低的物品等。但是，本书出于安全角度的考虑，建议下班时把桌面上的透明文件夹放到中层抽屉里。

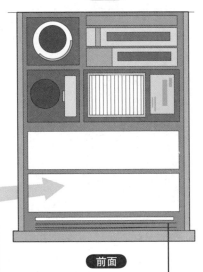

下班时，把办公桌上的透明文件夹放到中层抽屉里

下班时如果任由桌子上的透明文件夹留在外面，不够安全。因此，可以把桌子上的文件夹移到中层抽屉里。方法是，在中层抽屉前面部分放置两个横型的文件盒，并把"处理中"类和"暂存"类文件夹分别放入文件盒内。当中层抽屉无法放下文件盒时，可以在个人柜子里进行同样的操作。

活用剩余空间

如果想对抽屉前面和文件盒之间的剩余空间加以利用的话，可以用来竖着收纳尚未使用的透明文件夹、笔记本等。

☐ 下层抽屉，中央抽屉的布局

有关下层抽屉的活用方法，在第 16 页有详细说明。中央抽屉则几乎没有设计布局的必要。因此这里只简单介绍。

▍下层抽屉的布局

下层抽屉是用于收纳"保留"类文件的空间。但是有的公司不能在办公桌上放文件和物品，这时可以把"处理中"类和"暂存"类文件也放到这里。

▍中央抽屉的布局

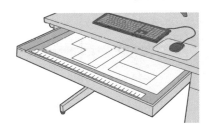

中央抽屉不太高，而且打开抽屉时需要把身体往后倾，因此使用起来不是很方便。为此，基本上不用来收纳任何物品。但是，像长尺、大尺寸的图纸等无处放置时，可以放到这里。另外，也可用于离开座位时临时放置正在使用的文件等。

☑ 检查

垃圾桶放桌子左边

文件归档过程中，"扔"这个流程是必不可少的。因此，为了能随时扔掉不需要的文件，建议把垃圾桶放在桌子附近。如果没有垃圾桶，可能会出现因为没有立刻丢掉，而一直放着忘记丢的情况。此外，垃圾桶放在桌子左边是最合适的。因为放在左边不会影响开关抽屉。

实例展示
归档整理技巧

让物品的放置具有意义

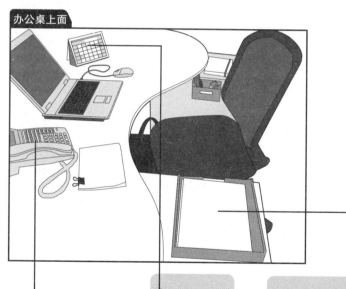

办公桌上面

电话
放在用左手可以立刻接电话的位置。设想用右手拿笔做笔记。

桌面台历
放在操作电脑时可以不转动脖子、用眼睛余光就能看到的位置。

托盘
用于放置工作中使用的文件。为了不至于使办公桌上东西太多，托盘只能放一个，并且下班时要把托盘中的物品清空。

为了更好地发挥归档的作用，利用适合自己的小窍门

保圣那集团一位接受我们采访的男士说，归档在提高工作效率方面具有重要的意义。正如他所说，在文件整理法以及用于收纳文件的桌子布局等方面都有明确的规定，为有效地开展工作下了不少功夫。下面将介绍其他归档技巧。

个人简介

保圣那集团
人事部
31 岁
男性

抽屉边缘

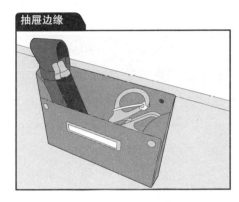

有效利用空间

在抽屉边上挂一个小盒子，用来放文具。为了桌子上尽量不放物品并始终保持干净，想到了这个小点子。小盒子里也最低限度只放那些需要频繁使用的必需文具。

✔ 检查

养成清理文件的习惯

① 一周一次，设定清理文件的时间

② 每个项目完成后，进行文件清理

接受采访的男士，每周三上班前进行文件清理。另外，项目结束时也进行同样的清理。一旦养成习惯，可以保证留在手头的只有必需文件。

利用抽屉管理文件

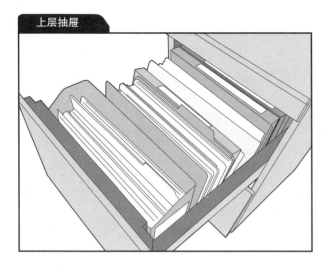

抽屉前面

一周内使用的文件

抽屉后面

重要文件

上层抽屉用于收纳一周内使用的紧急度较高的文件，和夹有重要文件的文件夹。抽屉前面部分放一周内使用的文件，后面放重要文件，如此对抽屉内部进行简单划分。另外，一周以上用不到的文件，紧急度降低可挪放到下层抽屉。

✓ 检查

管理文件的注意点

☐ 离开时桌子上不要放文件　　　☐ 平时给抽屉上锁

☐ 下班时桌子上不留任何物品　　☐ 个人信息相关的文件要谨慎
　　　　　　　　　　　　　　　　　保管

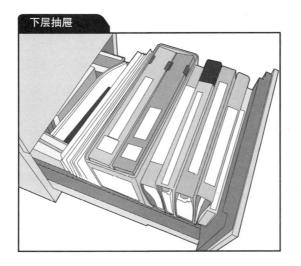

下层抽屉

抽屉前面

一个月内使用的文件

抽屉后面

参考资料

下层抽屉的前面用于收纳一个月内的文件，后面用来放参考资料。另外，每月整理一次文件，一个月以上不使用但有用的文件移到个人柜子，不确定今后是否使用的文件或移动到个人柜子或扫描后保存，今后不会用到的文件可以丢掉。

离开座位时不要把文件摊在桌子上，这一点在文件管理中是很重要的。因为人不在位置上时，有可能发生文件丢失的情况。此外，以防万一，不能忘了给抽屉上锁。与个人信息相关的资料更需要谨慎管理。此次接受采访的保圣那集团的男士给电脑文档、复印机、手机等设定了密码，对个人信息的保密工作做得比较彻底。也许有人会觉得麻烦，但只要想到这么做可以避免文件丢失，信息泄漏，做这些工作还是十分有必要的。

13

归档的基本方法（电脑篇）

容量巨大的电脑更需要归档

电脑桌面上放满了各类文档和文件夹，这样的人应该很多。用电脑制作文档方便快捷，而且容量很大，因此出现这样的情形并不难理解。但是，如果任由这种状况持续，日常生活中每次查找文档就会很浪费时间。也就是说，和文件的归档一样，电脑也需要按照一定的规则进行文档和文件夹的管理。其基本思路和文件归档相同，所以电脑归档也可轻松掌握。

☐ 电脑文档的归档

思考一下电脑的优点和缺点

电脑拥有文件收纳柜等不可比拟的收纳空间，这既是优点也是缺点。巨大的收纳空间反而使文档无限增多，容易使桌面被文档占满。如此一来，查找文档就会变得比较困难，电脑速度也会变慢。

∿ 数据

问卷调查数据
在电脑的文档管理中经常发生的错误排名

①文档的时间前后顺序不清楚
②文档名不易懂
③电脑桌面被文档占满
④不知道哪个文件在哪个文档里

公司内部调查
（以 100 位商务人士为调查对象）

☐ 电脑归档的原则

电脑因为存储容量大，往往容易使文档数量不断增加。为了避免出现这种情形，有必要进行电脑的归档。

▌电脑归档的思路和文件归档相同

重要的是能立刻知道文档所在的位置

文档的归档和电脑的归档虽然工具不同，但思路是相同的。把纸张文件换成电脑文档，透明文件夹换成电脑文件夹，这样就容易理解了。并且，两者归档的最主要原则，即最终目标是创建一个能够一目了然掌握什么东西放在哪里的体系这一点上也是一致的。

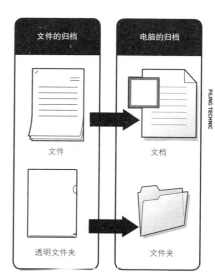

▌文件夹是基本工具

确立区分文件夹的规则

电脑归档一般是按主题对文件夹进行分类，并把与之相关的次级文件夹和文档进行汇总。也就是说，文件夹是电脑归档的基本工具。

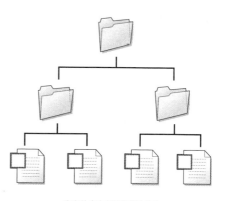

在文件夹内创建次级文件夹

47

☐ 文件夹分类的方法

按主题对文件夹进
行分类

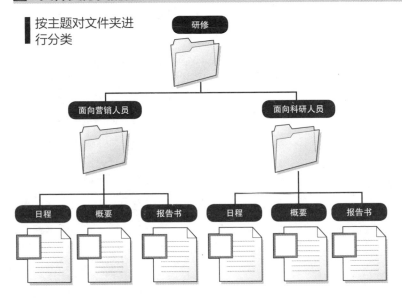

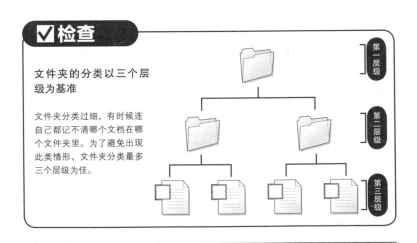

☑检查

文件夹的分类以三个层级为基准

文件夹分类过细，有时候连自己都记不清哪个文档在哪个文件夹里。为了避免出现此类情形，文件夹分类最多三个层级为佳。

▌适合按时间顺序区分文件夹的例子

保存定期产生的文档

在保存例会资料或每年规定时期内会有的研修报告书等时，还是按时间顺序来区分文件夹比较好。按照年、月对下一层级的文件夹进行区分，当想看"某年某月的报告书"时，就可以很快找到，非常方便。

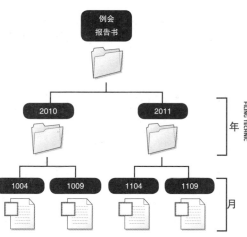

上图中，第一层级的文件夹按主题区分，下面层级按时间进行区分。另外，一个月中如果有多次文档产生，可以再加上以日为单位的下级文件夹。

☑ 检查

在桌面上设立命名为"其他"的文件夹

"哪个文档在哪个文件夹里，自己也记不清楚了。"这是在对企业职员就电脑文档管理中的常见错误进行问卷调查时得到的诸多答案中的一个。这种情况大多是因为想要勉强地把某个文档放入某个文件夹导致的。

但是，工作种类多样，当然会出现某个文档无法归入现有的任何一个文件夹的情形。因此，我们可以设立一个命名为"其他"的文件夹，把无法分类的文档集中放在里面。

14

清理不需要的文档

对日益增加的文档急刹车

文档数量日益增加。如果不定期清理，电脑很快会塞满文档，其结果是需要的文档不能立刻找到，工作效率下降。因此，一年以上未使用的文档或已过保存期的文档要主动丢弃。如果拿不准是否丢弃，可以设立"暂存"文件夹，用于暂时保管那些文档。这种情况下，尽量不要用"垃圾箱"来临时保管文件。因为一旦哪天发现还是需要，从垃圾箱里再找出需要的文档就会非常麻烦。

□ 文档清理很重要

□ 找文件不方便

□ 电脑速度变慢

虽然电脑容量较大，但没有必要保存那些不再需要的文档和文件夹。文档和文件夹越多，需要的东西越难找。而且，即便容量很大，也不是无限大的。随着保存的东西增加，还会出现电脑速度变慢等问题。

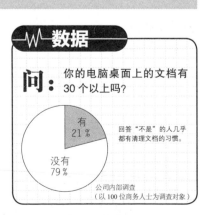

数据

问： 你的电脑桌面上的文档有30个以上吗？

有 21 %

没有 79 %

回答"不是"的人几乎都有清理文档的习惯。

公司内部调查
（以 100 位商务人士为调查对象）

文档的清理方法

文档数量会日益增加，因此，如果不定期清理的话，电脑存储空间很快会被占满。

清理时的判断基准

☐ 1 年以上未使用
☐ 过了保存期的文档
清理文档时，参照上面两条准则，从时间久的文档开始处理。

定期进行清理作业

将清理文档的时间安排到日程表里

确认新建文档的频率，以一个月或以一周的间隔进行清理。

对该不该删除拿不准时

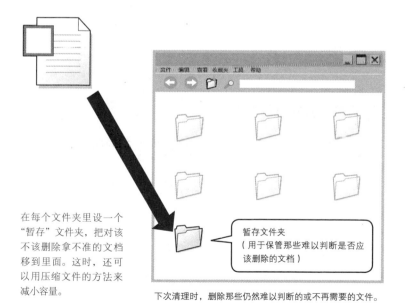

在每个文件夹里设一个"暂存"文件夹，把对该不该删除拿不准的文档移到里面。这时，还可以用压缩文件的方法来减小容量。

暂存文件夹
（用于保管那些难以判断是否应该删除的文档）

下次清理时，删除那些仍然难以判断的或不再需要的文件。

15

高效检索文档

高效的检索源于平常的准备工作

　　检索功能对电脑而言是不可或缺的。因为电脑容量很大，有时文档和文件夹很难查找。如果把本书介绍的归档方法用于实践，应该可以找出所有的文档和文件夹。但是，总会有例外，这时最可靠的就是检索功能。因此，平常就要注意文件夹的命名等，为高效检索做好准备工作。下面将介绍一些基本技巧。

□ 需要检索功能的理由

找不到文档时可以活用检索功能

如果平时注意电脑归档，可以避免出现文档散乱的情况。但也可以想见，随着文档和文件夹的增加，有时候目标文档很难找到。因此，提前了解检索方法会很有帮助。

─Ⅳ─ 数据

问： 提高检索功能需要做什么？

用心为文档命名
33 %

其他
22 %

对文件夹
分类
14 %

使用检索引擎
31 %

通过调查发现，人们意见不一，每个人擅长的检索手段也各不相同。

公司内部调查
（以 100 位商务人士为调查对象）

52

□ 如何更高效地检索文档和文件夹

在此介绍快速检索文档和文件夹的方法，一定要记住。

创建便于检索的文档名

如果对文档命名花点儿心思，就能准确地检索到文档。文档名按照"项目名""文件名""日期"的顺序标注。这样便于检索时参照日期检索。此外，对文件夹内部进行管理时，只要选择按文档名排序，就可以更新文档的排列顺序。

新商品活动 / 预算 20101004.xls

项目名　　　　　　文件名　　日期

日期标注格式应统一，如果不统一，检索时需要用多种标注格式，会增加麻烦。

将经常使用的文件夹放入"收藏夹"

如果有经常使用的文件夹，可以把它加到"收藏夹"里。这样就能从文件夹窗口的工具栏直接打开。

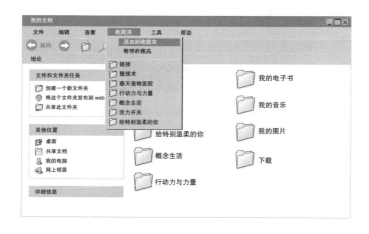

16

邮件的归档方法

收到的邮件按主题分类

　　用收件箱管理邮件存在若干缺点。第一，要看过去的邮件时，找起来比较麻烦。有的人甚至一天会收到 100 封以上的邮件，这种情况下找起来就更麻烦了；第二，收件箱里有各种各样的邀请、广告，重要的邮件也会混在其中。基于上述理由，本书推荐按照主题对收到的邮件进行分类。下班时如果收件箱是空的，那么不仅能有效地管理邮件，也方便使工作暂时告一段落。

□　邮件也需要归档

设想一下重新翻看收件箱时的麻烦

确认过去的邮件时，经常需要重新翻看收件箱。这时如果逐个确认邮件，找出需要的那一封会花费大量的时间。为解决这个问题，建议按主题对邮件分类，把收到的邮件分别归入其中。

×NG

用收件箱管理邮件的弊端

收件箱里有各种邮件。如果用收件箱管理邮件，不仅会增加查找邮件的时间，还会分不清哪些是重要邮件。

□ 邮件的管理方法

建立文件夹

按主题对文件夹进行分类管理，即邮件的归档。在此介绍建立文件夹的方法

步骤 1

以 Outlook Express 为例，点击工具栏里的"文件夹"，再点击"文件夹"里面的"新建"。

步骤 2

把收到的邮件拖到建好的文件夹内，就可以把邮件分入各个文件夹。

将文件夹分为三个层级

把创建好的文件夹按主题划分，并把邮件分归到各个文件夹。各文件夹一般划分三个层级比较好，这样的话收到的邮件也大多能查找到，万一找不到时可使用检索功能。这种情况下，用第二层级的文件名检索几乎都能检索到目标文件。

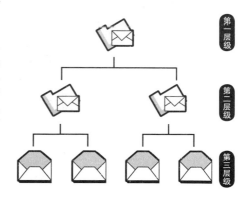

第一层级

第二层级

第三层级

17

备份是工作常识

对随时可能发生的危险做好预防工作很重要

　　假设正在使用文档时电脑突然发生故障，如果只是正在操作中的文档丢失了，那损失还算小，万一所有数据都丢失，就会给工作造成巨大的影响。使工作中断不说，还会增加压力，甚至影响对工作的热情。而且，有的数据如果丢失，还可能给周围人带来麻烦。因此，我们需要的是对随时都有可能来临的危险，时刻做好预防工作。如果有这样的心理准备，自然会养成备份的习惯。

□ 备份的重要性

思考一下丢失数据带来的影响

使用电脑时最令人害怕的当数电脑故障了。如果那时没有做好备份，所有的数据都会丢失。若重要的资料丢失，事态就更严重了。不仅给自己，也会给公司带来麻烦。

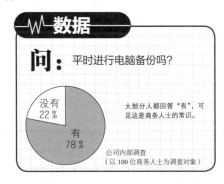

数据

问：平时进行电脑备份吗？

没有
22％

有
78％

大部分人都回答"有"，可见这是商务人士的常识。

公司内部调查
（以100位商务人士为调查对象）

备份到哪里

下面介绍如何对电脑资料进行备份。由于存储媒体的数据容量和使用方法都有所不同，因此购买时要多加注意。

经常使用的记忆存储器有移动硬盘、CD-R、U盘三种。如果用于数据备份保存，应该使用容量大的移动硬盘为佳。CD-R和U盘更多地用于拷贝数据或随身携带。特别是U盘可以进行数据更新，特别适用于上述场合。

移动硬盘

CD-R

U盘

✓ 检查

备份应在较短时间内进行

备份如果不是频繁地进行的话，就没有意义。因为文档每天都在增加，如果在备份前电脑发生故障，丢失的数据也会很多。条件允许的情况下，最好每天备份一次。

18

在名片上写下
必要信息

能带来商机的名片技巧

"在名片上写信息"，这是个广为人知的方法。不过大多数人都只写些有助于想起对方长相和姓名的必要信息。但除了这些信息外，本书还会加上有助于催生新商机的信息，并介绍如何灵活使用。也就是说，把名片活用为商业活动中的一种技巧。此外，还会介绍和归档有关的内容，例如在名片上注明日期作为清理时的判断基准等。因此，下面的内容需要一边练习归档，一边阅读。

☐ 不依赖记忆做好记录

不轻易放过商机的名片技巧

在名片上除了注明日期、地点这些基本信息外，我们还建议注上对方的相关信息。因为注在名片上的信息不仅仅是用于再见面时帮助回忆对方的姓名和长相。如果知道对方的相关信息，不仅有话题可聊，还能了解如何与对方交流，有助于拓展商机。

这人叫什么来着……

平时承蒙您关照了。

□ 名片上加注的信息

收到名片后，应尽量在当天把相关信息注上。在此具体介绍需要加注哪些信息。

▌在名片背面加注的信息

□日期　□地点　□需求　□对方特征
□介绍人　□同席人

（可能的话还可以注明毕业大学、家乡、兴趣、特长等）

在会前磋商及会议等场合收到名片后，要趁着当天记忆还鲜明的时候把信息记下来（参照上面的各个项目）。如果能记下对方的兴趣爱好等，下次碰面时就会有话题可聊，还可能由此获得商机。但是，给所有的名片都注上信息实在是件很麻烦的事，而且很多人也都不会再见第二次了。所以，在名片上加注信息时，可以设定自己的规则，例如仅限于谈话超过 10 分钟以上的人等。

✓检查

记住对方特征时的要点

为了避免因忘记对方姓名和长相而失礼，建议在名片上写下对方的特征。无论对方当天穿了多么有特点的衣服，因为下次不一定会穿，所以这些信息就不必写了。当然，对对方失礼的内容也不要写。

□ 脸型
□ 体型
□ 目测的对方年龄
□ 说话方式

将记录的信息转化为商机

这件事您也记得呀。

我记得您好像喜欢吃生鱼片吧?

在名片上记录工作以外的信息大有裨益。不要忘记记录与该人相关的信息,例如爱吃生鱼片、在当地俱乐部打棒球。你如能预先掌握这些信息,并在最佳时机表达出来,将令对方对你刮目相看。如此一来,双方的沟通交流会更加顺畅,你离成功也就更进一步。

☑ 检查

在名片上记录信息时需要注意

☐ 不要当着对方的面写
没有人愿意别人当着自己的面记录自己的信息,所以一定要在离开公司后再写。

☐ 在收到名片当天记录
为了不致记忆错误,要在记忆清晰的时候记录。

☐ 名片不要让对方看到
即便没有写着什么失礼的内容,如果看到名片上写着这样那样有关自己的信息,谁都会不愉快的。

□ 给人留下好印象的名片交换礼仪

虽然有点儿脱离本书正题，但如果这个礼仪没有掌握，即便再努力用心在名片上记录信息也不会有用。在此对名片交换礼仪进行再次强化。

基本的名片交换方式

一般地位低的人先向地位高的人递名片。但拜访时，原则上由拜访方首先递出。

同时交换名片

用右手递出自己的名片，左手接对方的名片。访问者拿的名片略微向下比较有礼貌。

更有礼貌的递法

双手拿名片，不要遮到文字部分。一边递给对方一边说"您是……吧"，确认对方姓名。

交换后名片的放置

收到的名片不要收起来或放在桌子上。更要注意不要夹在资料里面或掉地上等。

×NG

交换名片时的注意点

□ 交换名片时没有站起来
坐着接对方递过来的名片会给人傲慢的感觉。

□ 胡乱放置对方的名片
交换后的名片不要掉落也不要折损，要小心地放置。

□ 名片反方向递给对方
不仅贬低了自己的价值，也是对对方非常失礼的行为。

19 归档的基本方法（名片篇）

用简单的方法发挥最大作用的名片归档

　　经常看到有人为名片的归档烦恼，因为不知如何有效管理数量庞大的名片。为解决这个问题，本书介绍的是，准备两个名片盒，把经常使用的名片和不经常使用的名片分开管理的方法。再有，对使用度特别高的名片，可以用专门的隔片隔开，和其他名片区别开来。名片归档中最重要的是，名片数量很多时能否快速找到所需的名片。就这点而言，上述方法简单而有效。

☐ 名片的归档方法

■ 把经常使用的名片和其他名片加以区分

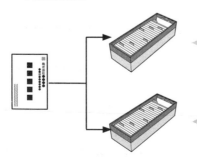

经常使用的名片
准备两个名片盒，这个盒子按字母顺序（以企业为单位）收纳日常联系人的名片。

其他名片
这个盒子用于按字母顺序（以企业为单位）收纳不经常联系的人的名片。

☐ 随身携带名片

在此介绍如何随身携带频繁使用的名片。像营业员及经常外出的人，一定
要采用这个技巧。

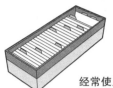

经常使用的名片

准备一个只放日常联系
人名片的名片盒。

用手机管理

把名片信息输入手机。不但不用
随身携带名片，还可以减少随身
物品。

用名片夹管理

把名片放入名片夹随身携带。也
可按主题对名片夹进行分类，便
于拿取。

输到手机里的名片信息

姓名按"公司名+姓名"输入。信
息内容限于电话号码、传真号码、
电子邮箱。

使用频率特别高的名片的个别管理

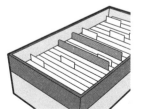

频繁联系人的名片可以准备特殊隔片使
之醒目。

☑ 检查

有同一公司的多张名片

进行商讨会谈时，除负责人以外还会收到
五六个人的名片。这种情况下不要把所有
名片放在一起管理，而是要把负责人的名
片单独放入常用名片盒，其他名片则放入
另外的名片盒。

20

清理名片的规则

重要的是要消除对清理名片的抵触

　　名片或许可以说是难以丢弃物品中的代表。哪怕有一年以上没有联系，但只要是以前受过关照的人的名片就很难丢弃。这时要认识到，这是提高工作效率的必要流程，一定要下决心清理。而且，随着名片数量的减少，管理会变得容易，需要的名片也能立刻被找到。在有了这些成功体验后，对丢弃名片的抵触感应该也会消失。

□ 清理名片的重要性

名片只有活用才有价值

对于名片是否应该丢弃，可说是赞否两论。但是随着名片数量的增加，管理会变得困难，需要的名片会很难找到。因此，本书建议定期对名片进行清理。那些不联系人的名片，在商业场合是没有什么意义的。

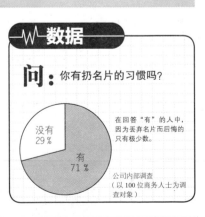

数据

问：你有扔名片的习惯吗？

没有 29％
有 71％

在回答"有"的人中，因为丢弃名片而后悔的只有极少数。

公司内部调查
（以 100 位商务人士为调查对象）

☐ 清理名片的方法

名片这种东西，即便下决心要扔，也还是很难下手。为此，我们将介绍处理名片时明确的判断基准。

▌一年进行一次名片清理

名片的丢弃工作要尽量定期进行。大多数人一年一次即可。但是，对那些会收到很多名片的人，例如营业人员来说，需要把清理的时间间隔调整得短一些。另外，当名片盒放满之后，也可以进行清理工作。

▌为是否应该丢弃而拿捏不准时

当为是否应该丢弃名片拿捏不准时，可以把名片的正反面复印到 A4 纸上保管，不会占用空间。复印过的名片就没有用了，可以立刻扔掉。

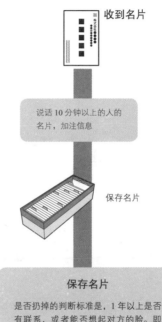

收到名片

说话 10 分钟以上的人的名片，加注信息

保存名片

保存名片

是否扔掉的判断标准是，1 年以上是否有联系，或者能否想起对方的脸。即便想不起来，如果是重要的名片，因为背后注有信息所以没有问题（参照第 59 页）

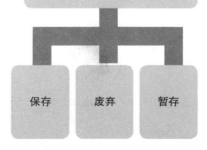

保存　　废弃　　暂存

☑检查

将名片留给别人

调换工作岗位时，不能因为名片不需要了就扔掉。这时可以把名片作为本岗位的重要资料，留给继续留在原部门的新人等。

手账整理术

1

找到适合自己的手账

只有找到适合自己的手账，才能用起来得心应手

尽管买了自己喜欢的手账，却一次都没用过，有此类经历的人多得出乎意料。用好手账的第一步是，找到适合自己的手账。虽说一个小小的手账，种类却很多。想着去买个手账便茫然进入商场的话，会因其种类繁多而眼花缭乱。手账种类繁多，也正说明其用法种类之多。买手账时，要考虑自己的工作内容和使用场所再决定。这样自然就能找到适合自己的手账了。

□ 手账的尺寸

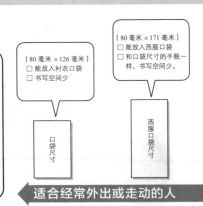

✔检查

考虑一下如何使用手账

在选择手账时，如何随身携带、能写多少内容，这些都是判断的基准。经常外出重视便携性的人，就选择便于携带的尺寸；要写的内容较多，就选择尺寸大些的。

（80毫米×126毫米）
□ 能放入衬衣口袋
□ 书写空间少

口袋尺寸

（80毫米×171毫米）
□ 能放入西服口袋
□ 和口袋尺寸的手账一样，书写空间少。

西服口袋尺寸

适合经常外出或走动的人

☐　手账的种类

手账里面有像书或笔记本那样把书页钉在一起的"固定手账"，和可以自己自由定义组合的"活页手账"两种。刚开始用手账，建议还是选用有足够页数的固定手账。

固定手账

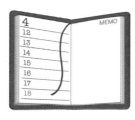

优点	缺点
☐一年换一次，也可以转换心情 ☐简便易用 ☐便于携带 ☐价格适中	☐书写空间有限 ☐不能自由组合 ☐不能对资料等进行归档

活页手账

优点	缺点
☐利用替换活页，可以自由组合 ☐可以对资料等进行归档 ☐书写空间较大	☐重而大 ☐价格较贵 ☐较难用得顺手

（106 毫米×148 毫米）
☐便于携带，小巧
☐可以确保书写空间

文库本尺寸（A6）

（95 毫米×171 毫米）
☐活页手账的一般尺寸
☐可以放到书包里随身携带

《圣经》尺寸

（148 毫米×210 毫米）
☐完全可以确保书写空间
☐可以夹 A4 尺寸的资料

A5 尺寸

（18 毫米×257 毫米）
☐和大学笔记本一样大
☐笔记等较长内容也可以写得下

B3 尺寸

适合使用笔记记录较多的人

□ 手账的页面布局

根据记事内容量和工作节奏的不同，相应的手账的页面布局也有所不同。了解有哪些页面布局类型后，选择一款适合自己的。

月份型

像日历那样，双连页可以看到 1 个月的日程。有从周一开始的和从周日开始的两种。如果主要用于工作场合，建议选用周一开始的类型。

1月						
月	火	水	木	金	土	日

这种手账适合以下人士
□ 没有习惯使用手账
□ 进行长期性工作
□ 每天没有多个安排

双连页两周型

1 页一周，双连页两周份的日程类型。约半个月的日程安排一目了然，适用于进行中长期日程管理。记笔记空书写空间少是缺点。

周一	周一
周二	周二
周三	周三
周四	周四
周五	周五
周六	周六
周日	周日

这种手账适合以下人士
□ 月份型手账的书写空白不够
□ 从事中长期工作

垂直型

双开页有一周份的日程栏，以每 30 分钟或 1 小时划分。笔记空间比较小，但一天的日程比较容易把握，可以进行细致的时间管理。

周一	周二	周三	周四	周五	周六	周日	备注

这种手账适合以下人士
□ 一天当中有多个预约或会议
□ 想要切实管理时间
□ 用笔记本或电脑记笔记

左侧一周型

左侧 1 页为一周份的日程栏，右页为笔记栏类型。一周的日程安排可以一目了然，较易管理。有较大的记笔记空白页，适合写东西。

周一	备注
周二	
周三	
周四	
周五	
周六	
周日	

这种手账适合以下人士
□ 想让手账的笔记内容更充实
□ 一天中有多个预约或会议
□ 从事中短期工作

□ 了解适合自己的手账页面布局

手账的页面布局要结合自己的工作方式来选择。首先，利用图表来确认一下适合你的到底是哪一类。

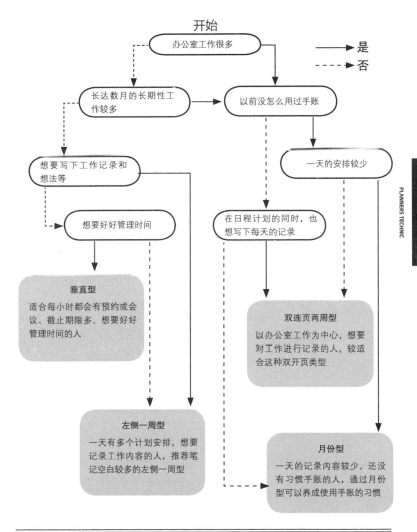

71

2

为何要在商务场合使用手账？

用好手账，工作能顺利推进

手账并不仅仅是用来记录日程安排的。它同时也有助于思考如何推进工作、如何提高效率，是自我管理的工具。一旦考虑好这些内容，就能高效地着手工作，也能确保自己的时间。另外，手账也是最方便的手写工具。可以记录要做的事情，以及有用的信息等。养成了随时记录有用信息的习惯，不仅有助于丰富知识，提高思考能力，还能锻炼信息处理能力。

☐ 使用手账的好处

管理日程安排

使用手账的最大目的是管理日程安排。其关键是如何不被每天的工作紧逼，如何管理实践，按自己的计划开展工作。

提高工作效率

使用手账和不使用手账的人之间最大的差异是工作效率。使用手账，可以客观把握某项工作目前进展到哪一阶段。

充实个人生活

如果能按自己的意愿管理好工作，自己的私人时间也自然会增加。也就是说，工作和私人生活会同时变得充实。

防止出错

自己觉察到的事情，做得不好的事情，把这些记录到手账里再回顾，可以避免再犯同样的错误，积累自己特有的工作技巧。

□ 使用手账的人和不用手账的人之间的差异

可以说，工作是否做得好，不在能力，更多在于自我管理。接下来我们来比较一下使用手账和不使用手账的人之间的差异。

使用手账的人

□ 按时完工，安排日程
□ 高效正确地完成工作
□ 加班少
□ 失误少
□ 总是游刃有余

不使用手账的人

□ 经常无法按时完工
□ 被杂事缠绕，工作马虎
□ 犯同样的错误
□ 虽然努力但工作总做不完
□ 不清楚工作的先后顺序

周围人是这么看的

使用手账的人

□ 能很好地进行自我管理，值得信任
□ 积极地投身于工作

不使用手账的人

□ 不能很好地进行自我管理
□ 不能遵守日程，不可信任

□ 和自己预约

步骤 1
首先安排自己
的计划

步骤 2
空闲时间里制
订新计划

所谓日程安排，是自己和自己的预约。包括
工作在内，预先制订自己的计划。新的安排
放到空闲时间里。如此一来，就不会出现因
为工作忙碌而取消私人约会之类的事情了。

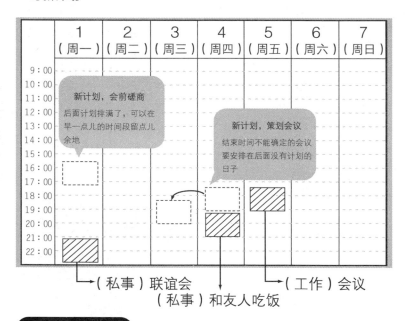

	1 （周一）	2 （周二）	3 （周三）	4 （周四）	5 （周五）	6 （周六）	7 （周日）

新计划，会前磋商
后面计划排满了，可以在
早一点儿的时间段留点儿
余地

新计划，策划会议
结束时间不能确定的会议
要安排在后面没有计划的
日子

→（私事）联谊会
（私事）和友人吃饭

→（工作）会议

×NG

日程安排不仅仅是工作计划

想着要"好好工作"，不少人的手账上只记
录工作计划。其实，在工作计划前写好私
人安排也是日程安排的方法之一。把自己

一直期待的某个安排提前写入手账，就可
以以"在 × 月 × 日前要把工作完成"来激
励自己。

74

用好手账的要点只有三个。通过"写"计划和笔记进行记录，通过"看"进行回忆，对下一个安排和想法进行"确认"，谁都可以把手账用得心应手。

要点1

计划要立刻写下来

预约或计划决定之后，要养成立刻写下来的习惯。写下来之后，就要按计划完成。这样可以避免遗忘截止日期等失误。

要点2

一天内多次翻开手账查看写下来的计划和笔记

一天内要多次翻看。确认自己现在应该做什么，有助于顺利地推进工作。把桌子上的台历拿掉，把手账放到桌子上也是一个方法。

要点3

确认笔记以便今后活用

在工作中觉察的事情、反思的笔记等都是自己特有的工作技巧。通过看这些可以提高工作质量。并且，回顾各项工作花了多少时间，有助于今后制订计划。

手账整理术

PLANNERS TECHNIC

3

活用手账的基本方法

实现梦想必不可少的工具

忙于工作一眨眼一年就过去了，想必谁都会有类似的经验。但是，如果这样过两三年，甚至十年后的你能实现梦想吗？"我想成为这样的人"，为了成为理想中的自己，必须确立计划并付诸行动。在忙碌的生活中，能帮助你实现梦想和目标的是手账。不仅是工作目标，把包括考取资格证书等个人目标写下来，要做的事情就会很明确。另外，回看已经做过的事情，能帮助自己确认进展状况。

实现梦想的过程

步骤1 将梦想详细地写下来

买好手账后，详细写下诸如"在国外开自己的店""独立创业"等长期目标。

步骤2 确立1年的目标

从"业绩第一"的工作目标，到"国外旅行"的私人目标，都一一写下来。

步骤3 考虑1个月、1周的具体行动

确定年度目标后，剩下的就是如何实行了。考虑好几月前要做好的事情，每个月、每周要做的事情也自然就清晰了。

目标

□ 手账的活用方法

手账除了用于记录计划以外，还可以记录梦想的目标、工作中需要的笔记等，可以有各种使用方法。

记录目标

在写长期梦想和年度目标（例如35岁独立经营咖啡店）时，尽可能把内容具体化，还可以有意识地记下数字。

日程的管理

记录最多的是每天的计划。截止日期、预约会议、会前磋商、突发事情、个人计划等都可以写入。

记笔记

可以记录日程的补充信息（需要准备的物品、访问地等），以及工作中觉察到的事情、待做事项的清单、书和电影的感想等。

随身携带资料和信息

地图、路线图等，需要的资料可以贴或者夹在手账里随身携带。这样需要时便随时可用，很方便。

日程表的记录方法

能一目了然地把握内容，日程表才有意义

日程表的笔记空白处因为大小有限，如果什么内容都往里面写的话很快会填满文字。这样就有可能出现预约重叠、忘记截止日期等失误。何时和谁就何事碰面讨论、预约变更后的时间是什么，如果这些信息在打开手账的瞬间不能一目了然地知晓，那么日程表的意义就没有了。在此介绍日程表的基本写法，实践之后再试着找到自己特有的写法。

☐ 分色记录

工作计划用黑色，紧急要务用红色，重要事情用蓝色，私人事情用绿色，像这样分色标记，日程表就可以一目了然了。

9月						
周一	周二	周三	周四	周五	周六	周日
1	2	3	4	5	6	7
		15:00~16:00 碰面会		19:00 用餐	20:00 讨论会	
8	9	10	11	12	13	14
	资料制作	→	13:00~15:00 项目会议	发布会		
15	16	17	18	19	20	21

黑
"会前磋商"等日常工作

红
截止日期临近的紧急工作

蓝
"发布会"等重要计划

绿
"和朋友吃饭"等私人安排

☐ 活用有限空间

每天的日程表里能写字的空白有限，因此需要简化记录信息。下面将介绍活用日程表空白的记录方法。

<table>
<tr><td colspan="2">**9月**</td><td>周一</td><td>周二</td><td>周三</td><td>周四</td></tr>
<tr><td>先写时间，再写
事情内容</td><td></td><td>1
13：00~15：00
A公司发表</td><td>2
只注明简要的关键词</td><td>3</td><td>4</td></tr>
<tr><td></td><td></td><td>8
12：00午饭，田中
16：00公司会议</td><td>9
资料截止日</td><td>10</td><td>11</td></tr>
</table>

手账整理术
PLANNERS TECHNIC

▌空白活用方法①
时间写在前面

据说人的大脑对时间的感觉很敏感。在写计划时，从时间开始写，会很快被大脑捕捉。此外，用电话或邮件确认计划时，全部使用"时间+事情"的顺序有助于在大脑中轻松整理计划。

▌空白活用方法②
使用关键词

例如"9月1日13点在A公司举办新商品发布会"，如果这样记到手账上，不仅占空间，而且看起来麻烦。相反，如果只记录名词，不仅不会削减必要信息量，还可以节省空间。

时间优先的好处

☐ 计划容易被大脑捕捉
☐ 容易在头脑里整理计划

写关键词的好处

☐ 占用最小的空白
☐ 缩短书写时间

空白活用方法③
使用符号和缩略语

像"会议"这些常用的关键词，可以通过使用自己的符号来活用空白。而且，比起完整地记录，可以缩短记录时间，即便被别人看见也很难看懂。

符号和缩略语的优点

☐ 记录速度加快
☐ 被别人看见也不容易看懂

8 周一	11 A公司的小川 Ⓣ + Ⓕ 15：00~16：00SL部会议
9 周一	10：00~12：00小组会议Ⓟ
	☆制作幻灯片
10 周三	！ 资料→山本 B
11 周四	Ⓗ
	15：00B公司Ⓕ？ 共食
12 周五	
13	

符号样式

tel / Ⓣ	打电话	Ⓕ	访问
mail / ml	发邮件	B	部门经理
fax / Ⓕ	发传真	K	科长
〒	寄信	SL部	营业部
PT	打印	P部	策划部
M / MTG / Ⓜ	开会	☆	重要
Ⓟ	会前磋商	？	不确定
Ⓗ	出差	！	要确认
Ⓡ	来客	×	取消、变更

✓检查

用自己能够把握的符号

虽然符号和缩略语很方便，但使用太多反而记不清什么符号表示什么，所以使用符号和缩略语时，要控制在自己能把握的范围内。另外，还可以只对会议、会前磋商等常用内容使用符号和缩略语。

空间活用方法④
不确定的计划使用便笺

有时候会有无法预约、日程不确定的情况，这时可以把不确定的计划写到便笺上再贴到日程表里。等时间确定后再写到手账里，可以减少不必要的记录内容。

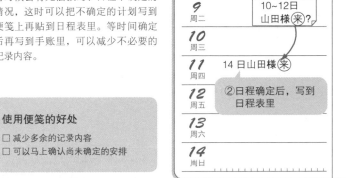

①把计划写到便笺上，贴到日程表里

10~12日
山田様来？

14 日山田様来

②日程确定后，写到日程表里

8 周一		
9 周二		
10 周三		
11 周四		
12 周五		
13 周六		
14 周日		

使用便笺的好处

☐ 减少多余的记录内容
☐ 可以马上确认尚未确定的安排

☑ 检查

计划较少的人可以写下想做的事情

日程表里空白较多，想要充实内容的人可以写上想做的事、想去的地方的关键词。"想要多写些"的心情，是想要改变自己行动的心情的积极表露。即便当天不能实现，等有空闲时回看手账，再一个一个去实行就可以了。此外，还可以写下当天吃过的食品，用于自己的健康管理。

记录当天饮食用于管理身体

8 周一	坐提前两趟的电车	早咖啡/面包 中炸肉饼套餐 晚啤酒/拉面
9 周二	看夜场电影	早没吃 中炒蔬菜 晚烤秋刀鱼套餐
10 周三	某车站咖啡店	早三明治 中没吃 晚烤肉
11 周四		
12 周五		
13		

记录每天的目标和留意到的内容

充实记录内容的方法

☐ 写下每天的目标，提高积极性
☐ 记下想做的事、留意的事
☐ 记录饮食管理身体

5

订立中长期日程计划

用手账把握一年的节奏

为了守时、高效地工作，日程管理必不可少。手账里可以记录一年的日程，此外还有工作例会、公司内部活动、暑假等每年固定的日程安排。买好手账后，先把这些已经确定的日程安排写下来。如此就可以把握住一年的节奏。有中长期工作安排时，首先要写上最终目标的截止日期。决定在哪天之前、要做什么以及怎么做之后，按倒算的方法设定日程安排。

□ 制订计划前需要把握的事项

明确工作的开始时间和结束时间

1 年只有 52 周。如果使用双连页为 1 周的日程表，一个月就只有 4 页。例如需要 3 个月完成的工作，就需要在 12 页的日程表内完成。像这样能否明确意识到工作的开始和结束时间，直接体现了日程管理能力的差异。

1 个月 = 1 2 3 4

□ 日程的计划方法

步骤1

设立年度日程计划

拿到新的手账，不要先急着写每天的日程安排，而是先写1年要达成的目标和已经确定的安排。这样，什么时候该做什么就大致有把握了。

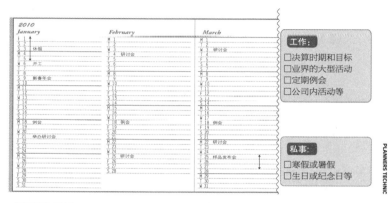

工作：
- □决算时期和目标
- □业界的大型活动
- □定期例会
- □公司内活动等

私事：
- □寒假或暑假
- □生日或纪念日等

步骤2

设立月度、周度的日程计划

决定月度和周度的日程安排时，不管工作期限长短，首先把截止日期写下来。把截止日期前的行动细分化，设定若干小目标点，就可以很清楚本月、本周应该做的事情了。

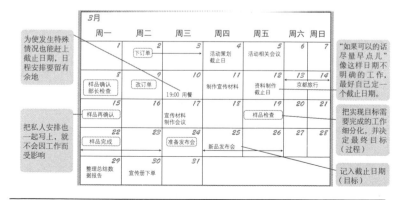

为使发生特殊情况也能赶上截止日期，日程安排要留有余地

把私人安排也一起写上，就不会因工作而受影响

"如果可以的话尽量早点儿"像这样日期不明确的工作，最好自己定一个截止日期。

把实现目标需要完成的工作细分化，并决定最终目标（过程）

记入截止日期（目标）

83

6

订立每天的日程计划

每天更新和记录日程安排

　　月度和周度的计划定了以后，每天的日程安排也就定下来了。和中长期计划不同，每天的日程安排根据工作进展可以调整。如果今天应该完成的工作没有完成，第二天必须首先着手前一天没完成的工作。下班前，对"今天没做完的工作""明天应该做的工作""今天变更的计划"进行确认，依次列表。为了能回顾一天的工作就需要掌握今天已完成的工作。如果把每天的工作日程认真记录到手账里，就可以帮助你确认已完成的工作。

☐　每天要做的事情在前一天决定

下班前确认自己今天工作进展到哪里了，并且确定明天的安排。如此一来，第二天就可以不用考虑要从哪里开始做，而是直接开工。

下班前	上班后
☐今天未完成的工作在第二天优先完成 ☐掌握当月、当周应该完成的工作的进展程度，如果落下了进度，要及时调整日程安排	☐根据前一天的日程安排，可以立刻进入工作状态 ☐不会遗漏工作

□ 进行时间管理的日程写法

为了使工作顺利开展，需要制订合理的计划，有效地使用时间。在此介绍有助于进行有效时间管理的垂直型手账的使用方法。

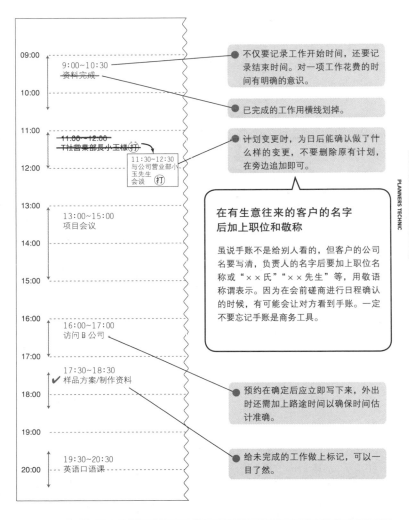

不仅要记录工作开始时间，还要记录结束时间。对一项工作花费的时间有明确的意识。

已完成的工作用横线划掉。

计划变更时，为日后能确认做了什么样的变更，不要删除原有计划，在旁边追加即可。

在有生意往来的客户的名字后加上职位和敬称

虽说手账不是给别人看的，但客户的公司名要写清，负责人的名字后要加上职位名称或"××氏""××先生"等，用敬语称谓表示。因为在会前磋商进行日程确认的时候，有可能会让对方看到手账。一定不要忘记手账是商务工具。

预约在确定后应立即写下来，外出时还需加上路途时间以确保时间估计准确。

给未完成的工作做上标记，可以一目了然。

☐ 制订高效的每日计划

比起按时间顺序工作，还不如把外出活动集中安排在某一天，把容易集中精神的时间段用来专心工作，这样更能减少时间的浪费。

▌了解容易集中精神的时间段

决定一天的日程安排时，最好先了解自己最能集中精神的时间段。把重要工作和紧急工作放在这个时间段内完成，工作质量也会提高。

外出及碰面的时间段

☐ 通过外出和碰面，转换上午的工作和心情。

☐ 外出时把几件事情一起做可以缩短外出时间。

☐ 决定外出的日子和案头工作的日子，让工作有节奏感。

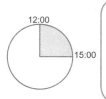 

最能集中精神的时间段

☐ 尽管有个人差异，但相对而言，上午头脑比较清晰容易集中精神。

☐ 集中精神的时间段要尽量避免约客，用来做重要和紧急的工作。

☐ 万一有临时情况，还有余地可以用下午的时间应对。

能集中精神的第二时间段

☐ 完成当天的工作。

☐ 为第二天的工作做准备，搜集信息。

☐ 列出第二天的工作清单。

有效使用空白时间

规划一天的日程安排时，在工作与工作之间设定空白时间。这样即便会议延长也不会影响后面的安排。另外，如果有临时工作，也可以用空白时间应对。

留出空白时间段的理由
□即便会议或会前磋商时间延长，
　也不会影响到后面的安排
□有时间应对计划外的突发事件和
　工作

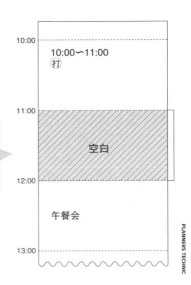

10:00

10:00～11:00
打

11:00

空白

12:00

午餐会

13:00

利用空白时间可以做的事情

打电话发邮件等

预约电话，发邮件及回复邮件等，可以利用空白时间集中进行。

搜集信息转换心情

可以利用空白时间搜集新企划的相关信息，也可以为进入下个工作进行心情转换。

公司内部的会前磋商

把公司内部的碰面会等调整到空白时间段，这样不必改变其他安排。

额外插进来的工作

事先没有计划的突发性工作，可以利用空白时间进行处理，不会影响到其他既定安排。

7

活用待办事项清单

考虑先后顺序，把握待完成工作

　　工作内容有各自的先后顺序。首先把目前手头的工作写下来，然后在写下来的清单中按照重要度和紧急度排出先后顺序，决定本月、本周、本日、空白时间要做的工作。这就是待办事项清单。像这样做好清单后，对原先头脑中没有整理清楚的事情，可以客观地把握。该做的工作完成后，在清单上逐个确认。这样不仅能及时把握工作进展状况，还会产生成就感。

□　决定先后顺序的方法

先后顺序从高到低分别为"重要紧急的事""重要但不紧急的事""不重要但紧急的事""不重要也不紧急的事"。当有多个接近截止日期的工作，无法决定先后时，建议优先处理参与人员较多的那项。

先后顺序确认表

☐ 截止日期是什么时候　　　　　　　☐ 需要召集相关人员

☐ 有多少人参与　　　　　　　　　　☐ 准备和确认需要多少时间

　　（参与人数越多，排序越靠前）　　　　（需要时间多的那项工作排序靠前）

☐ 需要向外部订货

☐ 文件等需要向公司领导确认

☐ 待办事项清单的用法

待办事项清单不仅有助于决定工作的先后顺序，对把握工作的细节划分也有帮助。例如"策划书递交"工作项下面,可以分成"搜索""构思策划案""制订策划案"等细分部分。

步骤1 将要做的事情写下来

把目前所有要做的事情写下来。有截止日期的写明截止时间,需要提交的写出提交部门的负责人和公司领导的名字。

步骤2 决定先后顺序

根据截止日期及相关人员的多少决定先后顺序。最应该优先的是"只有自己才能完成的+截止日临近的"工作。

步骤3 放在随时能看到的地方

待办事项清单可以放在手账或贴到电脑上。放在这些随时能看到的地方,可以让大脑牢记该做的工作。

步骤4 对完成的工作进行确认

一项工作完成后要随时确认。这个确认可以成为工作记录,也能让人有充实感和成就感。

☐ 待办事项清单的写法

待办事项清单可以分为把要做的工作全部写下来的"整体待办事项清单"和每天更新的"每日待办事项清单"。两者的使用方法相同，下面将介绍两者的写法。

▌整体待办事项清单

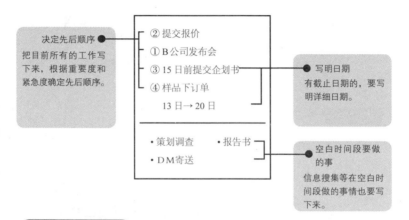

决定先后顺序
把目前所有的工作写下来，根据重要度和紧急度确定先后顺序。

② 提交报价
① B公司发布会
③ 15 日前提交企划书
④ 样品下订单
　　13 日→ 20 日

•策划调查　　•报告书
•DM寄送

写明日期
有截止日期的，要写明详细日期。

空白时间段要做的事
信息搜集等在空白时间段做的事情也要写下来。

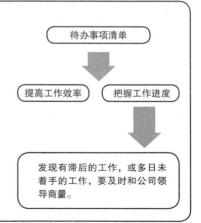

✔检查

待办事项清单是检查工具

待办事项清单的作用不只是帮助决定工作的先后顺序，提高工作效率，还帮助你确认手头待做工作，以及是否有工作滞后的有效工具。为此，当出现工作量太大超出承受能力，或截止日之前没有余地等情况时，应该立刻与公司领导商议，提早防患于未然。

待办事项清单
⬇
提高工作效率　　把握工作进度
⬇
发现有滞后的工作，或多日未着手的工作，要及时和公司领导商量。

▌每日待办事项清单

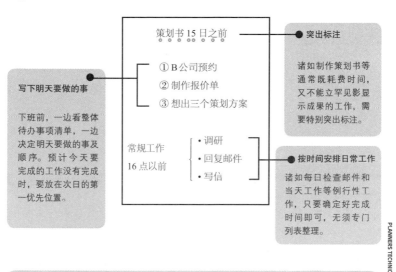

写下明天要做的事

下班前，一边看整体待办事项清单，一边决定明天要做的事及顺序。预计今天要完成的工作没有完成时，要放在次日的第一优先位置。

策划书 15 日之前

① B 公司预约
② 制作报价单
③ 想出三个策划方案

常规工作
16 点以前

· 调研
· 回复邮件
· 写信

突出标注

诸如制作策划书等通常既耗费时间，又不能立罕见影显示成果的工作，需要特别突出标注。

按时间安排日常工作

诸如每日检查邮件和当天工作等例行性工作，只要确定好完成时间即可，无须专门列表整理。

利用便笺和笔记栏完成工作计划的管理方法

便笺能够为落实工作计划带来便利，在手账的笔记栏里分别列出工作内容，以便区分；使用宽大的便笺，分别在每张上面记下每日工作计划，贴在笔记栏里。这样就能一次性确定全部工作内容和每天的工作安排。

① 每天工作计划
② 每月需要完成的工作
③ 每周需要完成的工作

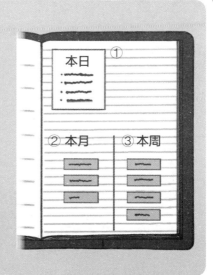

提高预约技巧

诱导预约时间到日程中的合适位置

预约时，必须同时考虑自己和对方的时间安排。有的人为了迎合对方的安排，会把自己的安排放到一边，但这样就比较浪费时间。预约时，要试着自己主动提出时间点。这样可以把预约诱导到自己方便的时间，把外出活动集中到一天内节约时间，同时也为集中案头工作提供时间。另外，碰面会谈中需要决定下一次见面的时间时，最好不要往后拖，要当场定下来。

☐ 预约的原则

☐下个预约时间要当场决定

碰面会或会议上，最好当场决定下次的时间安排。如此就可以朝着下一个安排立刻着手行动。

☐外出活动有效集中

有外出安排时，可以把多个预约安排在同一天。集中到一天内可以节省外出时间。

☐预约时间前后留好余地

把多个预约安排到一天时，要考虑到外出时间和临时情况，在前后留出空白时间段。

□ 预约的方法

根据自己的时间安排巧妙地诱导出预约时间，这里面是有技巧的。为了避免给对方留下不良印象，要好好地掌握要点。

电话预约时

用电话预约时，打电话一方可以掌握主动权，所以尽量主动打给对方。此外，尽量在大多数人可以决定安排的时间段，即上午打比较好。

电话中的说话技巧

> "下周××日周×的 13~15 点，或者
> ××日周×下午怎么样？"

□ 提供多个时间以便对方选择调整
□ 决定日程安排时，为避免出错对周几也要确认

✕NG

不可取的预约方法

"您什么时候有空？"
如果迎合对方的时间，自己的安排会无法确定。

"您明天 15 点有空吗？"
如果没有给对方用于调整安排的选择项，会给人以自我中心的印象。

☑检查

预约时间确定后，想要更改时间

己方主动联系并确定预约时间后，如果没有特殊情况应尽量遵守。即便有会议等临时安排进来，也应以预约优先。因万不得已的情况必须变更时间时，应尽早和对方联系。这时除了诚恳地表示歉意外，还应简要地说明事情原委，并优先考虑对方的时间，重新计划日程安排。

9

养成回看手账的习惯

通过回看手账，可以了解自己的行为模式

　　记入手账的计划安排，如果不回看就没有意义。试着养成在工作告一段落时，或在路上利用一点儿时间回顾手账的习惯。如此，一周左右的日程安排就会记在大脑里，不会在临近截止日期时慌乱不堪。而且，有时候过去的手账还会对工作有帮助。例如从花费时间的项目，发生问题的客户等过去积累的信息中，可以发现自己不擅长的工作模式，以便作为下次做同类工作时的参考。另外，还可以由此确认自己的成长过程，提高自己的工作热情。

☐ 回看手账的最佳时间

回看手账，具有"考虑工作阶段安排""确认工作进度""整理待做事项"等诸多意义。为此，有必要在上班前、上班中、下班前对手账进行确认。

上班前	上班后	下班前
☐确认当天安排	☐某一工作告一段落后确认下一个工作	☐回顾、确认当日工作
☐考虑待做工作的先后顺序	☐确认工作是否按时推进	☐确认第二天日程安排
☐周一对一周的日程安排进行确认	☐日程有变化时，随时更新	☐整理待办事项清单

活用以前的手账

买好新手账要写目标时，建议看看以前用过的手账。以前的手账是你工作和个人生活的记录。通过回顾翻看，例如看到自己的优点和弱点等，肯定会有意外收获。

了解自己的弱点

比预定计划花了更多的时间，由此可知自己在策划书制作方面比较费时。

改善
- ☐ 增加制订策划案的时间
- ☐ 给日程安排多留余地
- ☐ 规定自己每天找一个和策划相关的素材并记录下来

11 周一	写策划书
12 周二	
13 周三 ◖	提交策划书
14 周四 ✓	修改
15 周五	提交策划书
16 周六	修改
17 周日	

分析成功事例

受客户公司T部门经理的信任，拿到了新合同

思考被信任的理由
- ☐ 每次拜访都带去新样品
- ☐ 为了让T部门经理满意，多次修改样品
- ☐ 电话或邮件回复及时

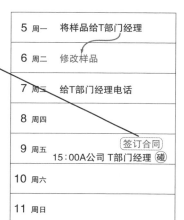

5 周一	将样品给T部门经理
6 周二	修改样品
7 周三	给T部门经理电话
8 周四	
9 周五	签订合同　15：00A公司 T部门经理 碰
10 周六	
11 周日	

10

充实手账笔记

记笔记直接关系到工作的成功

　　手账除了用于管理日程安排，还可以用来记录听闻的信息及想法等，具有"笔记本"的功能。工作技巧、会议前的准备、策划素材等，把这些都记住是不可能的，但如果记录下来即便忘记了事后也能再想起来。另外，在会前磋商或和客户预约时，如果不做笔记容易给对方留下不可信任的印象，日后也可能出现记不清"说过还是没说过"之类的麻烦。因此，记笔记不仅有助于管理和活用信息，还可以避免出现一些细小的失误。

☐ 笔记的作用

有了记录，即便忘记也可以再想起来

人要记住所有的信息是不可能的。记下来之后即便忘记了，也可以再看看笔记回忆起来。

积累工作的技巧

记录工作中成功的因素和失败的原因，积累工作技巧，在下一个工作中得以应用。

防纠纷于未然

通过记录准确的数字，可以避免日后出现"说过还是没说过"之类的纠纷和一些小失误。

不遗漏有用的信息

通过把印象深刻的话、看到的报道、好的想法等记录下来，对新策划等今后的工作有帮助。

需要做笔记的场合

上班路上突然想到的事情、和人谈话中获得的知识等，值得做笔记的瞬间无处不在。"回头再记下来吧"，在这样想之前，还是养成拿出手账立刻记录的习惯吧。

会议，会前磋商

记录何时、何地、和谁说了什么。另外，事先把要讲的内容或安排写下来也很重要。

接电话，打电话

不仅是在接电话的时候，打电话时也可以灵活记笔记。可以把要向对方传达的内容列成清单。

在路上

路程时间是思考工作安排和新策划的有效时间。这时想到的内容要趁着没有忘记赶紧记下来。

谈话后

谈话中其实已经隐含了工作的线索。把客户的习惯、特点记下来，有时可以发现与客户接近的方法。

✓ 检查

这些信息也要记下来

笔记积累到一定程度后，会发现自己喜欢的、不擅长的、感兴趣的领域等具有一定的倾向性规律。在此基础上，可以发挥自己的长处，克服自己的弱点。

□ 对书及电影的感想
□ 研讨会及演讲的内容
□ 去客户所在位置的路线
□ 喜欢的商店等

☐ 简明易懂的笔记法

记笔记时非常重要的一点是，日后回看时能否理解所记内容。并不需要写得很长，尽量写得简洁些，一目了然。

步骤 1 归纳要点

把看到的、听到的都记下来，不仅花费时间，而且有时还抓不住重点。因此记笔记时要围绕"做什么"这个中心点，用关键词进行归纳。

文章式写法

> 明日拜访 A 公司时，对方的负责人 B 先生（女士）希望一边吃午饭一边随意谈谈。12：00 吃饭，接下来进行活动策划的发布。

归纳要点式写法

> ××日 12：00 拜访 A 公司
> 与负责人 B 吃午饭（会前磋商）
> 午饭后发布活动策划

步骤 2 突出需要强调的内容

对那些特别重要的关键词，为了日后再看时也能看出是重要的，可以用加下划线或做标记等方法使之醒目。另外，为了能清楚是何时做的笔记，千万不要忘了写上日期。

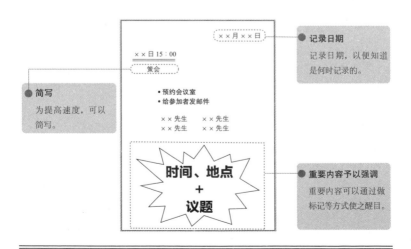

☐ 活用手账的笔记栏

在手账的笔记栏里做笔记，可以和日程安排一起确认，非常便利。但是，笔记栏空间有限，多个笔记内容容易混淆。因此下面将介绍笔记栏简洁明了的使用方法。

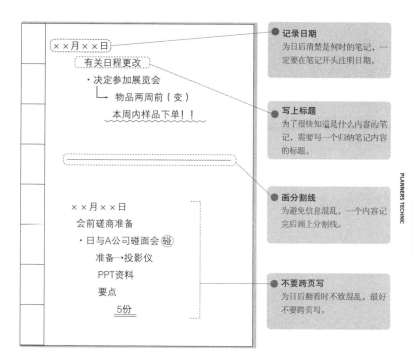

××月××日
有关日程更改
·决定参加展览会
└→ 物品两周前（变）
本周内样品下单！！

××月××日
会前磋商准备
·日与A公司碰面会 碰
准备→投影仪
PPT资料
要点
5份

● **记录日期**
为日后清楚是何时的笔记，一定要在笔记开头注明日期。

● **写上标题**
为了很快知道是什么内容的笔记，需要写一个归纳笔记内容的标题。

● **画分割线**
为避免信息混乱，一个内容记完后画上分割线。

● **不要跨页写**
为日后翻看时不致混乱，最好不要跨页写。

☑ 检查

笔记多的人可以另外准备一个和手账配套的笔记本

笔记较多的人仅仅用手账的笔记栏是不够的，这种情况下可以准备一个和手账相同尺寸或略小尺寸便于携带的笔记本，和手账一起随身携带即可。

11

活用便笺做笔记

便笺是充实笔记的最佳工具

便笺是一个适合和手账一起使用的便利工具。平时多用于做标记，但如果配合手账一起使用，就是很好的笔记工具。手账的笔记栏有空间限制，能写的文字数量有限。有关日程的补充信息、不确定的安排、待办事项清单等可以写到便笺上再贴到手账里。这样既不会丢失笔记内容，用过之后又可以扔掉。还有，便笺有各种大小，可以根据笔记内容区分使用。

☐ 区分使用不同大小的便笺

 大 = 笔记空间

 中 = 补充信息

 小 = 不确定的信息

用于记录手账上写不下的笔记，和日程无关的信息等。

用于记录会前磋商的注意事项等，日程安排的补充信息。

用于记录不确定的安排、临时信息等，贴到日程栏里。

便笺的使用方法

便笺是和手账比较匹配的文具。不仅可以扩大笔记空间，还可以用于补充信息，突出重点等。下面将介绍各种便笺的使用方法。

信息补充
对拜访客户的地址、相关准备等日程安排信息进行补充。

扩展笔记空间
大便笺用来记录备忘录、好点子和临时笔记等。为避免日后混乱，一张便笺只写一件事。

多张便笺重叠贴
信息量多的笔记内容可以用多张便笺叠加着贴。加上序号看起来更方便。

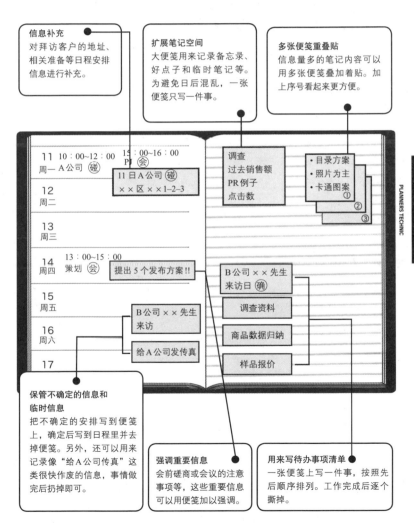

11
周一 A公司 碰　10：00~12：00　15：00~16：00　PR 会

11日A公司 碰
××区××1-2-3

12
周二

13
周三

14
周四 策划 会　13：00~15：00

提出 5 个发布方案!!

15
周五

16
周六

17

B公司×× 先生来访

给A公司发传真

调查
过去销售额
PR 例子
点击数

· 目录方案
· 照片为主
· 卡通图案 ①
②
③

B公司×× 先生来访日 确

调查资料

商品数据归纳

样品报价

保管不确定的信息和临时信息
把不确定的安排写到便笺上，确定后写到日程里并去掉便笺。另外，还可以用来记录像"给A公司传真"这类很快作废的信息，事情做完后扔掉即可。

强调重要信息
会前磋商或会议的注意事项等，这些重要信息可以用便笺加以强调。

用来写待办事项清单
一张便笺上写一件事，按照先后顺序排列。工作完成后逐个撕掉。

12

使用图画的方法

比起文字，有时候图画更简洁易懂

　　笔记要尽可能简洁，这样日后翻看时才能一目了然。但有些内容难以用语言表述清楚，或者写文字会很长。例如确认从车站到客户所在位置的路线，用一张地图和"××车站南口出站后，看到A银行后笔直往前走"的文字描述相比，哪个更容易明白呢？当然地图容易理解且省时。记笔记太难或者太花时间时，可以试着用图画来表述。

□ 适合画图的信息

流程图

地图

插画

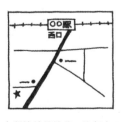

工作或谈话内容用流程图表示，可以很好地把握内容。

去拜访地的路线，比起文字，还是画个地图更好懂。

大小、形状、图案，这些文字难以表述的信息可以用图画轻松地表达。

□ 流程图的画法

流程图只需要用关键词和符号等连起来即可，比写文字更流畅。下面将介绍具体画法。

┃ 关键词和符号的连接

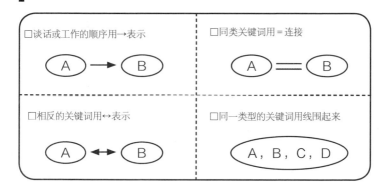

用文字记录的例子

用流程图表示的例子

写好了新产品的策划书并让部门经理看了后，提交给A公司。同时，向制作样品的公司提交报价单。策划书除了包括原来的商品销售额、各颜色版本之外，还要增加新商品特有的特点。

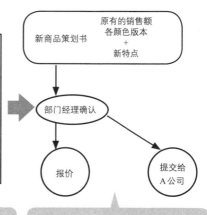

□ 不将文章看完就无法把握内容
□ 写和看都很费时间

□ 能迅速把握工作流程
□ 关键词之间的关系也一目了然

□ 地图的画法

这里所说的并不是很复杂的地图，而是由到达目的地所需的要素构成的简单地图。因此，谁都可以轻松地画好。

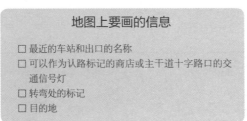

地图上要画的信息

□ 最近的车站和出口的名称
□ 可以作为认路标记的商店或主干道十字路口的交通信号灯
□ 转弯处的标记
□ 目的地

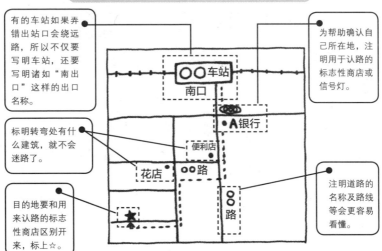

有的车站如果弄错出站口会绕远路，所以不仅要写明车站，还要写明诸如"南出口"这样的出口名称。

标明转弯处有什么建筑，就不会迷路了。

目的地要和用来认路的标志性商店区别开来，标上☆。

为帮助确认自己所在地，注明用于认路的标志性商店或信号灯。

注明道路的名称及路线等会更容易看懂。

☑检查

地图+时间的准备，出门更顺利

第一次去的地方，除了地图外，最好也事先查好路程所需时间。原本以为很近的地方，如果换乘很麻烦或公交车数量很少，都会花费比预期更多的时间。另外，去过多次的目的地，可以注明出口附近的车辆或便于换乘的车辆。

插图的画法

有时要记录展示上看到的商品样品的大小及特点，与其用文字描述不如画插图更简明易懂。而且只要自己回头翻看时能看懂就行，画得好坏没有关系。

画插图的要点

☐ 大小及颜色等信息用文字补充
☐ 比起画得好，不要漏画必要信息更为重要
☐ 将看到时的印象等自己的感想也一并写上

用文字记录的例子

商品样品有大（长25厘米×宽20厘米），小（长15厘米×宽10厘米）两种，颜色均为茶色。左下方有一个把4个角叠加起来的装饰，银色金属扣在中央部分。和以往商品相比更给人雅致的感觉。

☐ 样品的整体印象难以把握
☐ 记笔记和读笔记都很花时间

用插图记录的例子

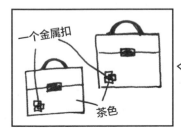

一个金属扣

茶色

☐ 可以对样品的整体印象一目了然
☐ 日后再回看时，可以还原记笔记时的印象
☐ 可以缩短记笔记的时间

105

13

掌握记会议笔记的技巧

会议笔记是锻炼自己做笔记能力的绝好机会

会议是为了决定某些事项而召开的，会上有各种各样的意见交流。为了让全体出席人员共享会议内容，需要制作会议纪要，并在会后发给出席人员。这种会议纪要并非只是简单记录出席人员的发言内容，而是应当总结发言要点，让谁都能一看就懂。换言之，制作会议纪要，一边听人发言，一边概括发言要点，能锻炼做笔记的能力。此外，为了使会议内容更加充实，会前需要对疑点进行调研，并事先对自己要发言的内容做好笔记。

☐ 会议前后均要做笔记

会前笔记	确认会议议程

↓

会议笔记	记录会谈过程和结论

↓

会后笔记	确认疑点和工作任务、追加信息

活用笔记能充实会议内容

为了充实会议内容，顺利召开会议，需要会前做好准备。如果预先整理好疑点或自己的意见，发言也会变得容易。另外，如果要查清会议中没理解的内容，或思考新的工作任务的具体实施步骤等，都离不开会后笔记。

□ 会议种类

会议一般分为两类：一类是为了报告和确认工作进展情况的定期会议；另一类是预先设置议题然后导出结论的讨论会。性质不同的会议，需要记录的要点也存在相应差异。

定期会议

确认工作进展情况的会议，一般定期举行。

记录要点：
1. 会前整理好将要报告的内容。
2. 记下新的工作任务和变更的工作安排等决定事项，并反映在日程表中。

讨论会

预先设置讨论的目的和议题，会上征求出席人员意见的会议。

记录要点：
1. 事前确认讨论的目的和议题。
2. 为了让出席人员共享会议内容，会议纪要必不可少（议题/谁说了什么/结论/布置各时间段内各人工作）。
3. 不太熟悉的词汇和有疑问的事项。

□ 用会前笔记做事前准备

为了在会议上充分表达自己的意见，会前的准备工作不可或缺。有时出席会议的目的在于制作会谈纪要，但如果不明确会议的目的，就无法理解会议内容，也就难以进行总结。

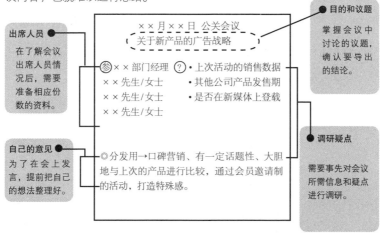

- **出席人员** 在了解会议出席人员情况后，需要准备相应份数的资料。

- ××月××日 公关会议
  关于新产品的广告战略

- **目的和议题** 掌握会议中讨论的议题，确认要导出的结论。

- ㉛××部门经理 ⑦
  ××先生/女士
  ××先生/女士
  ××先生/女士

- •上次活动的销售数据
  •其他公司产品发售期
  •是否在新媒体上登载

- **自己的意见** 为了在会上发言，提前把自己的想法整理好。

- ◎分发用→口碑营销、有一定话题性、大胆地与上次的产品进行比较，通过会员邀请制的活动，打造特殊感。

- **调研疑点** 需要事先对会议所需信息和疑点进行调研。

□ 会议纪要的记录方法

会议纪要的存在意义是，把会议内容同参会者共享。因此，如果仅仅罗列会议中的发言，就不能称作会议纪要。记录会议纪要需要把讨论的内容和决定事项整理得通俗易懂，让大家一看就明白。

▌会议纪要中需要表明的信息
▌如下：

1. 议题   会议是为决定某个事项而召开的。明确"决定什么事项"这一会议目的的议题是必要信息。

2. 出席人员   为了掌握谁出席了会议，需要出席人员的姓名。

3. 发言   简明扼要地记下谁说了什么话，以及得出结论的过程。

4. 结论   会上得出的结论，是会议纪要中最为重要的信息。

5. 任务   会议一旦有结果，紧接着就会出现应该做的工作。记录结果的同时，记下"谁、在什么期限内、将做什么"这一任务也很重要。

☑检查

与会议无关的事项也要记录下来

将会议中与会议纪要无关的事项也积极记录下来。把不太熟悉的内容和有疑问的事项记录下来，不仅可以积累知识，而且这些与会议没有直接关系的发言中可能蕴含着新的策划启示。另外，通过掌握出席人员的发言风格，并有效地加以利用，可以想想在自己发言时"对谁应该如何说"。

▌用图解记录出席人员

将出席人员按照座次排序进行记录，在记录"谁说了什么话"时就变得非常方便。在会议中遇到无法确认姓名的人，如果有座次表，事后也可以进行确认。

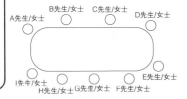

从实践中学习会谈纪要的整理方法

需要一定概括能力的会谈纪要，其记录方法也因人而异。本文将向大家介绍一位商务咨询师的记录技巧，他在短短一天内多次成功辗转各个会场。

采访对象 商务咨询师八木香

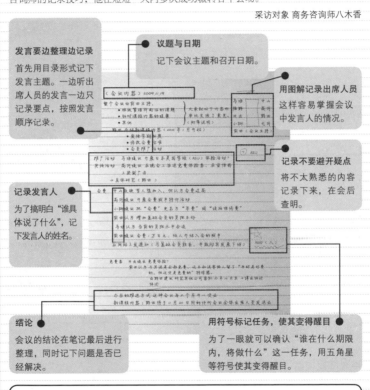

发言要边整理边记录

首先用目录形式记下发言主题。一边听出席人员的发言一边只记录要点，按照发言顺序记录。

议题与日期

记下会议主题和召开日期。

用图解记录出席人员

这样容易掌握会议中发言人的情况。

记录不要避开疑点

将不太熟悉的内容记录下来，在会后查明。

记录发言人

为了搞明白"谁具体说了什么"，记下发言人的姓名。

结论

会议的结论在笔记最后进行整理，同时记下问题是否已经解决。

用符号标记任务，使其变得醒目

为了一眼就可以确认"谁在什么期限内，将做什么"这一任务，用五角星等符号使其变得醒目。

会议纪要是能力提升的第一步

会议纪要中往往蕴含着能力提升的因素。查明疑点，不仅可以积累知识，还可以使人掌握边听发言边概括要点的能力。另外，为了客观地掌握会议情况，自己担任会议主持人可以使会议进展得更加顺利。

手账整理术

PLANNERS TECHNIC

☐ 制作会议纪要的格式

虽然会议中要记录各种各样的信息，但必不可少的应当包括出席人员的发言内容、疑点和结论。因此，需要掌握制作会议纪要的格式，并下功夫让记笔记变得更容易。

格式的制作方法

将笔记纸划为三部分，在这三栏空白中分别记录发言内容、疑点和结论。

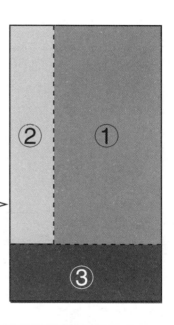

①出席人员的发言

"谁具体说了什么"，同时记下会议的内容。

②疑点

将不太熟悉的词语和感觉有疑问的事项记录下来，以便会后查明。

③结论

概括会议的内容，记下"决定了什么""谁在什么期限内将做什么"等结论。

☑ 检查

随时做好把笔记本放在膝盖上做笔记的准备

出席人员较多的会议，有时无法使用桌子。此时，在出席会议时要准备硬皮笔记本。这样就可以把笔记本放在膝盖上做笔记。

☐ 会后补充笔记

会议中会出现很多专业术语和缩略语。为了方便在下次会议中使用，要把会议中不熟悉的词汇等记下，会后再逐一查明。另外，重新整理笔记概括要点也很重要。

解决疑点
利用空闲时间等，把在会议中记下的疑点查明后进行补充，积累知识。

用下划线进行强调
整理笔记时，把自己认为比较重要的地方用下划线进行强调。

补充笔记
提交会议纪要后，如有不当或遗漏的地方被指出来，要进行补充，以备下次会议使用。

☑ 检查

会前磋商、会后重新整理笔记

对会前磋商和会前记下的工作步骤，会议结束后重新进行整理。此外，需要确认是否准备得足够充分，是否按照预定计划进展顺利等。如果在会前磋商和会议中未得到预期的结果，要查明原因所在，以备下次会议使用。

商谈、会议后需确认的事项

☐事前准备是否充分？
☐商谈和会议进展是否顺利？
☐没得到预期结果的原因是什么？
☐接下来自己应该做什么？

14

养成记笔记的习惯

让记笔记成为一种习惯，提高观察能力和概括能力

如果在报纸、杂志以及平常会话中，发现有比较关心或在意的信息和想法，把它们记录下来。它们有时会在意想不到的地方产生新的点子或启示。而且，让记笔记成为一种习惯，能切实提高观察能力和概括谈话要点的能力。另外，工作的反思笔记能帮助你积累经验，从而让这些知识成为你独有的数据库。这里的重点在于反思，但反思并非意味着否定或负面情绪，而是为了"下次应该如何做"而做的一种积极的准备。为了养成记笔记的习惯，所记笔记的内容应该是那种让你过后还想再读的内容，这一点也很重要。

☐ 记笔记的时机

发现有值得参考的内容时

读书、看杂志或看到别人工作的情况，产生"原来如此"这样恍然大悟的感觉时，这件事就有利于帮助解决自己的问题，还可以成为策划的启示。

忽然想起某件事时

看到公交车中的广告想到的事或在跟别人谈话中萌发的灵感等，在遗忘前记录下来。这样不经意的一个点子，有时往往会成为一个不错的启示。

有疑问时

对比较在意的事情或有疑点时都记下来。利用空闲时间重新整理，通过调查可以增强自己的工作能力。

成功或失败时

在工作中获得成功或失败时，要思考一下主要原因是什么，然后记录下来。从自身经验得来的知识，会成为工作中重要的财富。

提高干劲的记录方法

为了不重复犯错的反思笔记，如果写下过多的负面内容，就无法让人保持干劲。因此，在记笔记的过程中，尽量写一些"很好的事""今后值得期待的事"等积极乐观的内容。

```
A公司合同更新

□交货后继续积极地听取用户的意见
□经常确认库存→加强信任关系

B公司合同不成立

□彻底分析客户公司
□了解负责人的喜好

  通过这些就可以知道，比起新想
  法，某公司更偏爱用看得见的数字
  来判断。
```

不好的例子
```
B公司合同未达成           ✕

□无法对客户公司进行分析
□调研不充分
```

成功的事/正面的评价

记下自己感觉在哪方面做得比较得心应手、客户对什么地方比较感兴趣等，以积极的心态面对工作。

反思的地方

不要有"这儿做得不好"的想法，而应该换个角度去想，今后"应该这样去做"或者"下次这样做"。

不要将反思的内容写得很悲观

反思是连接下次成功的方法论。如果是"××没有做好"这样悲观的反思，无法促使人向前推进工作。

看着笔记本里写的让人心情变好的记录

一旦养成记笔记的习惯，就会一天多次打开笔记本，很自然地回顾过去的笔记。如果正好记录有积极向上的语言或被褒奖的内容，就会起到转换心情、提高士气的作用。

积极向上的语言

把书中或电影中喜欢的话或激励人的话记录下来，在消沉时就可以提高干劲。

被褒奖的话

记下曾经做过的成功的事情、被领导或客户褒奖的内容，可以让自己信心百倍。

想要的和想做的

把想要的和想做的事逐条写下来。比如，在工作的间歇，一边看笔记，一边思考休息日的安排，这样可以转换心情。

将要查明的事情列表

不局限于跟工作相关的事或谈话中听到不明白的词语等，把自己比较关注的所有内容都记下来。在空闲的时候查明，可以积累知识。

储备谈话素材

谈话是工作中非常重要的交流形式之一。看似毫不起眼的杂谈闲聊，往往会发展成新的业务。另外，话题的丰富程度可以彰显一个人的信息搜集能力，所以我们要在平时学会储备和积累谈话的素材。

平时需要留意的事项

新闻

通过移动网络或手机订阅可以阅读的新闻可以利用旅途的空闲时间查找。

杂志

养成看公交车中悬挂广告的习惯，确定要查看的杂志，定期购买并阅读专业杂志。

电影、音乐

如果兴趣不合，谈话就很难顺畅，至少要确认可以成为话题的内容。

书、漫画

常读畅销书或漫画并无坏处，商务类书籍容易成为共同的话题。

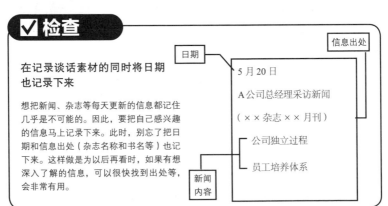

☑检查

在记录谈话素材的同时将日期也记录下来

想把新闻、杂志等每天更新的信息都记住几乎是不可能的。因此，要把自己感兴趣的信息马上记录下来。此时，别忘了把日期和信息出处（杂志名称和书名等）也记下来。这样做是为以后再看时，如果有想深入了解的信息，可以很快找到出处等，会非常有用。

日期　信息出处

5月20日

A公司总经理采访新闻

（××杂志××月刊）

　公司独立过程

　员工培养体系

新闻内容

从实践中学习提高干劲的记笔记方法

如果记下来的内容有太多负面语言，读笔记会觉得很辛苦，因此记下可以让人读起来比较愉快的内容很重要。以记录旨在提高干劲的做笔记技巧的手账为参考，来丰富笔记的内容。

采访对象 商务咨询师八木香

▌反思有益于接下来的工作

工作会议反思
- 小分会：简单介绍提早10分钟结束 → 给同一个
  人复次发言机会，轮流发言
- 整个会议：时间计算有误！ → 切记准确计算

● **反思=接下来应该做的事**
写工作反思时，要以"接下来这样做"的积极内容为前提。明确接下来应该做的事，可以有意识地应用于工作中。

手账整理术 PLANNERS TECHNIC

▌鼓舞自己的笔记

小说《白纸》（伊朗女作家席琳·内泽玛菲的作品）
- 虽说是意料之中，但当哈泰最终选择了战场而非医科大学时，她还是受到了无比沉重的打击。

● **阅读或观看让自己感动的书或电影并写下感想**
把自己在哪儿受触动了的感想写下来。不要忘记把题目和作者一起记录下来。

"一年之计，莫如树谷；十年之计，莫如树木；终身之计，莫如树人。"
（中国古语）

● **有用的话**
如果工作不顺利，可以多读几遍来给自己鼓舞士气。如果是很喜欢的语句，在换记事本后也再抄录一份。

15 用书写以外的方法充实笔记

根据笔记的内容，可以选择不同的工具

记笔记的方法，除了书写以外，还有多种。例如，路线图、报纸和杂志的剪贴簿。如果摘抄的话很耗费时间，还有记错的可能性。这时，把手账的笔记栏作为剪贴簿加以利用，就可以简单地把其变成能随身携带的信息。另外，也可以利用手机和录音笔等数字化工具记笔记。根据时间和场合不同，分别使用不同的方法，让笔记内容更加充实。

☐ 有一些信息跟手账一起携带会很方便

访问地的地图和路线图

访问客户时很有必要携带。带着一眼就可以看明白换乘车站的路线图会很方便。

店铺的信息

经常光顾的咖啡馆、待客用的店铺的信息有时也会用到。

新闻、杂志的剪贴簿

能够成为话题素材的新闻、工作上可能用得到的新闻以及想去的地方等逐一积累。

☐ 将临时用的信息夹在手账中

访问地的地图一般只在当天有用。遇到这类信息时，可以把打印出来的纸张或笔记夹在手账中，事情一结束就可以丢弃。这样的信息没必要写进手账，也不必花时间和精力。

夹在手账中的物品

仅限于当日有用、其他时候不需要的信息
（访问地的地图、研讨会或演讲会的信息等）

| 优点 | 节省了抄到手账上的时间，也没必要找笔记。 |

☐ 贴在手账上保管

把店铺名片、报纸和杂志的剪贴簿等想保管好的信息原封不动地贴在手账上。如果尺寸过大会从手账中露出来，就缩印后一折为二再粘贴起来。

贴在手账中的物品

想保存好的信息
（店铺名片、对策划有用的报道等）

| 优点 | 节省了记录下来的时间，也不必担心记错。 |

✓检查

想记录在手账上的其他信息

对工作有用的信息
☐ 公交车的路线图
☐ 自己公司的产品一览表
☐ 国内外的邮政价目表
☐ 阳历、阴历对照表
☐ 年节问候
☐ 备用名片

有利于转换心情的信息
☐ 家人的照片
☐ 想要的东西和想去的地方的照片
☐ 有兴趣的信息
（看过的电影清单或读过的图书清单等）

紧急时刻有用的信息
☐ 家人的联系方式
☐ 金融机构、银行的联系方式
☐ 手机运营商的联系方式

☐ 使用数码工具

除了以上方法，还有利用数码相机、手机等数码工具记笔记的方法。虽然数码工具易携带使用方便，但缺乏一目了然的效果，所以最好跟手账并用。

▌ 数码工具的优点和缺点

优点
☐可以准确地记录信息
☐避免挤占存储空间
☐检索简单
☐数码相机或手机的照片等可以原封不动地用在报告书中

缺点
☐一旦电池没电就用不了
☐无法一眼看到很多信息
☐存储出现异常或故障时，会造成数据丢失

数码相机

数码相机可以准确地记录用语言难以传达的信息，比如现场的状况以及商品的形状。此外，当场就可以确认照片是否可用，还可以重新补拍，错误也比较少。

适宜灵活应用数码相机记录的信息
☐会议中使用的幻灯片   ☐考察参观的场景
☐商品的形状   ☐比较关注的风景
☐时刻表   ……

录音笔

可以录音的工具。可以把会议中的谈话准确地录下来，有利于撰写会议纪要。在昏暗的地方或双手腾不开时，也可以用自己的声音进行记录。

适宜灵活应用录音笔记录的信息
☐会议、研讨会、演讲会的记录
☐无法用手记录时可以代做记录

手机的短信功能

在人满为患的公交车等场所，无法取出手账和笔时，使用手机短信记录比较方便。另外，比起记录功能使用短信功能更便于日后管理。

第1步 使用短信功能记录
为了能够明白主题名称是关于哪方面的，先输入"喜欢的书"这一题目，然后在短信文本中输入要记录的信息即可。

第2步 发送信息或保存到文件夹
把输入的记录发送到自己的电脑，之后再抄在手账上。或者，新建一个专用的文件夹，不发到电脑上而直接保存在电话里。

将输入记录的短信发送到电脑的好处	即便忘记记录下来的事情，回公司后查收邮件时，还可以再次确认记录。

将手写的笔记存入电脑

数码工具中，有一种可以把手写的笔记存入电脑的工具。这一工具最大的魅力在于兼具模拟和电子化的优点。记录在笔记本上的图片或图表可以原封不动地粘贴到邮件或策划书中，还可以根据笔记内容不同而保存在"想法"或"想要东西一览表"之类的目录中。

16

打电话前准备好笔记

不浪费时间，将要传达的事情交代清楚

　　电话是工作中断的主要原因之一，不论是打电话一方还是接电话一方都想简洁快速地把话说完。不得要领的电话会让你丧失信用，所以在拿起听筒之前先准备好笔记。首先，写出打电话要说的事情。此时，必须考虑按照对方容易理解的顺序来叙述；其次，如有需要向对方确认的事，也要预先写下来。这样在打电话之前预先准备好笔记，后边就可以顺着笔记往下谈，既可以使谈话变得顺畅又能准确地把事情传达清楚。

☐ 打电话之前需要做的准备工作

口头谈话容易产生混乱。为了防止谈话支离破碎或忘记确认信息，我们要事先进行准备。

• 是因何事才打的电话
报上自己的名字后，最先要开始交代"关于什么事情"，有必要把具体什么事情都转达清楚。

• 要传达何事
如果是预约，需要把会前磋商日期的备选项或需要的时间等告知对方。除此以外，还要整理应该告知的事情等。

• 是否有要向对方确认的事情
比如截止日期、交货数目等数字相关的信息，必须通过电话决定的信息等，掌握好需要确认的事项。

☐ 打电话之前要做的笔记

在打电话之前把要讲的内容做好笔记，可以使谈话进展得很顺利。另外，这样记下来，不仅可以使电话交流顺畅，还可以对可能遇到的问题有所准备。

称谓
关于××日活动的事
• 确认项目内容
• 会场踩点的日程
! 邀请函什么时候可以做好?
会场踩点的地方是哪里? → A大厅 / B会场 / 两个地方

● 什么事
明确记下谁要说什么。如果同时有几件事，可以想好要说的先后顺序。

● 要传达什么
把要用电话传达的事情进行列表。在确认是否有遗漏或传达失误的地方后再打电话。

● 要确认的事
不仅要记下自己要传达的事项，还要写下需要对方决定和指示的事。

● 可能遇到的问题及答案
一边做笔记一边模拟练习电话中的谈话，这样可以预测对方可能问及的三事，自然就会准备好相应的答案。

如果对方不在
对方不在时，要问"回来的时间"以及"接电话者的姓名"。

✓检查

要事应在电话沟通后发送邮件或传真确认

截止日期、交货数量等重要事情或与数字相关的信息，为防止出错，务必要用邮件或传真再次确认。将其写成文，避免日后出现"说过还是没说过"之类的纠纷。

预约商谈时要确认的事项

☐ 客户负责人的姓名
☐ 商谈内容
☐ 日期、时间
☐ 商谈所需时间
☐ 同席人员
☐ 商谈所需材料
☐ 手机号码或邮箱地址等双方的联系方式

17 谁都能看明白的留言的写法

设计留言格式，防止留言有误

　　一般来说，在手账上写的笔记只要自己能理解就可以了,但我们做的留言笔记要做到一目了然。与其把留言笔记的文字写得认真谨慎，还不如准确无误地传达所需信息，这点至关重要。其中，电话留言容易因为一些细微的失误或误解造成较大的纠纷，所以应当负责任地、准确地传达到位。话虽如此，这里所说的要确认的事情，不管是关于什么方面的电话，其基本形式大致不变，所以预先写好要确认事项的基本格式就可以。

> 仅将所需信息准确传达即可，留言笔记有必要写得清楚明了，谁看了以后都可以了然于心。

如果写得像一封冗长的信，增加多余内容，势必会淹没重要信息。把焦点放在"何事、怎么了"，记下容易传达给对方的笔记。

何事
```
明日 13：00
×× 公司演示幻灯片
↓
```

怎么了
```
紧急！
部长要求准备材料
```

补充说明
```
注： 必须当日把材料交给
    部门主管
```

☐ 准备电话专用的留言笔记

电话的留言笔记很常见。即便是事情不同，但不论哪个电话要传达的信息都大同小异，所以准备好电话专用的留言笔记。按照项目顺序逐条记录，还可以防止忘记对方联系方式这样的失误出现。

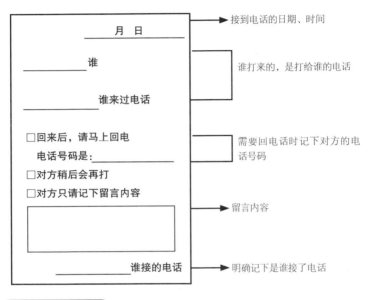

接到电话的日期、时间

谁打来的，是打给谁的电话

需要回电话时记下对方的电话号码

留言内容

明确记下是谁接了电话

手账整理术

PLANNERS TECHNIC

✓检查

方便的留言本

即便自己不做电话专用的留言簿，文具店也有销售相应的留言本。形式多种多样，既有便笺，也有留言本。为保证接受留言的人能马上注意到，选择比较显眼的颜色是很重要的。

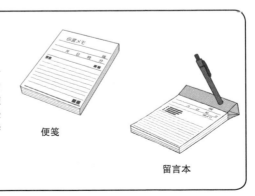

便笺

留言本

18

地址簿的活用方法

作为手账的附带笔记，管理有用的信息

　　许多手账附带地址簿，不过几乎所有人都用手机进行地址管理。如此一来，它貌似没有太大的用途，但由于手账的笔记空间有限，所以它可以作为补充工具来使用。地址簿一般以字母顺序分页，特别适合用于把店铺信息、读书笔记、备忘录等列为名单便于阅读的笔记。此外，因为它可以与手账一起携带，你在工作间歇也可以反复阅读，并以此来转换心情。

地址簿的使用方法

地址簿有两种用法：一是作为把客户的联系方式记录下来的地址簿利用，以备不时之需；二是把手账的笔记栏扩充后作为笔记本利用的方法。

地址簿的管理
把主要客户的名片复印后贴在地址簿上，一旦手机没电时可以备用。

作为笔记本加以利用
可与手账一起携带的地址簿，可以作为补充手账有限的笔记空间加以利用。

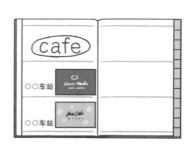

地址簿上记录的信息

在手账的笔记栏记下日程相关的信息，在地址簿上记下备忘录和店铺的信息等。不仅可以随身携带这些有用的信息，还可以通过区分这些记笔记的地方，有针对性地找到需要的笔记。

店铺的清单

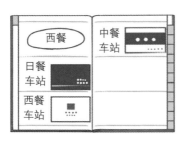

发现喜欢的店后，贴上店铺名片做成一览表。在待客或会前磋商时很有用。

备忘录

将在电视或杂志上发现的想去的地方或想要的东西转化为清单。思考一下休息日的计划，也可以转换心情。

读书清单

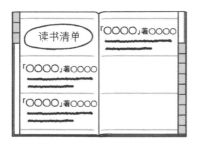

在姓名栏记下书名、在电话号码栏记下作者姓名、住址栏记下感想等可以当作读书笔记来用。不仅使读过的书变得一目了然，你还可以体会到充实的感觉。

交通信息

交通信息通过电脑网络或手机也可以检索，但把常去的地方的路线做好笔记可以与日程同时确认，这样很方便。

19

整理和保管笔记的必要性

通过定期整理笔记养成重读的习惯

　　记笔记的工具各种各样、五花八门，例如手账、笔记本、便笺和复印纸。不过，比起记笔记本身，重新阅读更加重要。在很多笔记中，为了重读重要的笔记，需要事先对笔记进行整理和保管。在笔记中记录的信息有两种：一种是通过积累变得有价值的信息，另一种是只在特定期间才需要的信息。前者应该保存好，不要遗失；后者保存一段时间后，丢弃也没关系。如一个月一次或半年一次，自己决定间隔时间定期整理笔记。这样自然养成重读笔记的习惯。

☐ 判断信息的种类

笔记中记录的信息有待办事项清单或紧急事情之类的暂时性内容、工作灵感，也有忘录之类需要保存好的信息。在整理笔记前，要判断一下笔记内容是暂时性的，还是需要保存好的信息。

暂时性信息

待办事项清单或截止日期临近的事情等，如果过了某个时间就成了不需要的信息。在不需要之前，要重新阅读、反复确认。

需要保存好的信息

工作灵感、工作记录或备忘录等需要不断记录的信息。比起暂时性的信息，这些信息虽然重读的概率比较低，但之后会需要。

📖 笔记的整理方法

笔记每天都在增加，如果把所有信息都记在手账上，数量会变得庞大，关键时候也会找不到需要的笔记。因此，整理笔记是很有必要的。

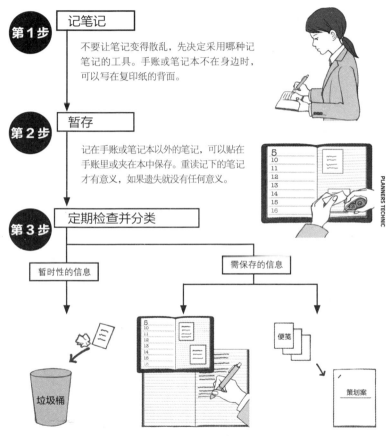

第1步 记笔记

不要让笔记变得散乱，先决定采用哪种记笔记的工具。手账或笔记本不在身边时，可以写在复印纸的背面。

第2步 暂存

记在手账或笔记本以外的笔记，可以贴在手账里或夹在本中保存。重读记下的笔记才有意义，如果遗失就没有任何意义。

第3步 定期检查并分类

暂时性的信息

需保存的信息

垃圾桶

策划案

便笺

扔进垃圾桶

已经完成的待办事项清单或与截止期限有关的信息，因为已经没必要再看，所以丢弃。

需要继续保存的信息

抄写或粘贴在手账或笔记本上工作反思或工作灵感等保存在手账或笔记本中，之后可以再次阅读。

完善和扩充笔记内容

一个月一次或半年一次，定期整理笔记，把比较关注的信息重新调查或写进策划书。

127

实例展示
手账整理技巧①

主要用途的周记（页）

记下每周的目标

回顾上周，记下本周的目标，与日程一起多次反复查看，加深记忆。比起待办事项清单，写下想做的事更重要。

记下积极的语言

记下阅读中看到的话，可以起到转换心情和提高干劲的作用。思考下周要写什么，做笔记本身会变成一件愉快的事情。

可以总览这个日程的月表（页）

每月安排表是为了一目了然一个月的安排，有把一个月分成三部分的笔记栏。分别在上旬、中旬、下旬栏记下要做的工作，这样容易细化以周为单位的日程。

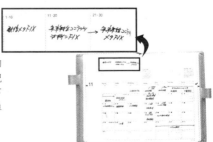

实现生活计划的手账活用技巧

　　在吉本方丹戈公司工作的一位女士，通过改变手账的使用方法，工作和生活都变得非常充实且成功。5 年前，她还过着每天被工作压得喘不过气的生活，那时她描绘了自己的未来。为了成为自己希望的样子，她改变了手账的使用方法。此后她逐渐管理起自己的生活计划，一边充实地工作，一边每年到想去的国家旅行，实现了各个目标。

采访对象简介

吉本方丹戈公司
制作营销中心
文化产品营销科
女性 32 岁

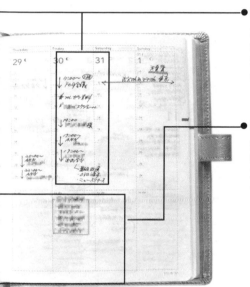

● **整理工作安排**

　　为了让工作更有效率，要将有外出安排的日子和在办公室集中办公的日子分开。跟人相约时，提供几个备选时间，对方也容易选择，而且感觉很贴心。

● **待办事项清单要以周为单位进行管理**

　　在办公室集中办公的日子里记下一周的待办事项清单。待办事项清单中记载的工作，尽量在本周内完成。截止日期用☆标记，重要的事用◎标记。

☑检查

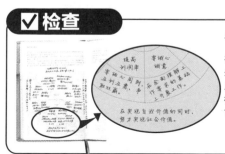

年度目标要分类记录

　　在记录一年的目标页中，要把工作、生活、交流等分类记下来。虽然可以只记下完成的工作目标等，但通过这样的分类，可以把握这一年对自己而言到底都经历了什么。

实例展示
手账整理技巧②

用自制表格管理日程表

一旦安排确定后，首先写在手账日程栏中，再写入自制日程表，使本周+下周（两周）的工作一目了然。两周以后的工作安排写进手账。

日程表管理的原则

☐ 安排确定后立即记下来
☐ 下周前的安排都整理在日程表中
☐ 周三或周四确定下周的安排

记在自制日程表中

☐ 一天的目标
☐ 访问的客户与时间
☐ 必须打的电话
☐ 当日要发的传真

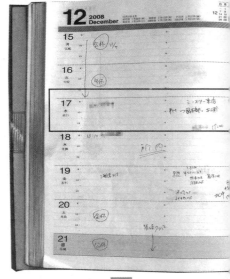

自制日程表

将需要的信息都整理在手账中

接受我们采访的JTB公司的一位男士因为经常外出办公，所以将所有信息都记在手账中，统一管理。手账用的是公司配发的左侧一周型（参照第70页），再把所有工作一目了然的自制日程表夹在手账中使用。把所有信息都整理在手账中，可以明确"哪里写了什么"，以防工作遗漏或失误。

采访对象简介

JTB公司教育事业组
经营法人
男性
30岁

▌将会前磋商内容或投诉内容 记入笔记栏

将工作中听到的事情、会前磋商内容、自己应该做的工作（制作文件等）全部记在右边的笔记栏中。以后访问时，可以回顾上次访问的笔记。

● **让日程表与笔记相对应**

以前都是从上而下按顺序记在一页笔记上，现在把笔记写在左侧页的日期对应处。这样当天跟谁谈话并记录了什么内容一目了然。

● **投诉内容稍后记录**

来自客户的要求或投诉、失败的事情也是重要的信息。但是，根据不同情况，有时在谈话中记笔记会让对方感到不快。因此，当有投诉时，要真诚地倾听，事后再做笔记。

☑检查

最大限度地利用好手账口袋

封皮背后的口袋可装入自制的日程表、组员的工作安排表、机场遗失物品负责人的联系方式、客户的联系方式一览表等对工作很重要的信息，以便随时携带。

笔记本整理术

1 找到适合自己的笔记本

依据装订、纸张质量、格线、尺寸 4 个标准寻找最佳笔记本

笔记本各种各样。突然想开始做笔记时，也许会不知道选哪个好。这时试着思考一下自己打算"如何使用笔记本"。根据使用的目的不同，选择最佳笔记本。可以从装订、纸张质量、格线、尺寸 4 个标准出发寻找最适合自己的笔记本。另外，多试着用不同的笔记本，尝试着看看是否适合自己。如果能找到适合自己的笔记本，将会写出非常有用的笔记。

☐ 选择笔记本的标准

选择适合自己风格的笔记本

哪种笔记本最适合是由如何使用笔记本决定的。另外，不论功能多么丰富，如果用不好，也体现不出它的价值。重要的是适合自己的风格，找到合适的笔记本。所谓适合自己的笔记本，因人而异。

☑ 检查

使用活页需要高超的技巧

因为活页可以拆解下来，所以编辑的自由度高，用得好会非常方便。但是，在排列替换活页的过程中，恐怕会出现不知道把信息放在哪里的情况，可以说这是针对高水平人群的工具。值得注意的是，如果过于细致反而会影响效率。

选择最佳笔记本的标准

根据使用笔记本的方法不同，哪个笔记本最合适也会有所不同。依据装订、纸张质量、格线、尺寸这 4 个标准来选择笔记本。

选择笔记本的标准① 装订

选择适合自己的使用方法

笔记本有无线装订和螺旋装订两种，二者各有优缺点。如果从便于收纳的角度来讲，无线装订很方便，但若是在狭小的空间内书写，螺旋装订比较好。结合自己对笔记本的使用方法，选择适合自己的笔记本为好。

无线装订

优点
□ 容易收纳到书架上，不占地方
□ 双开页，使用笔记本时很方便
缺点
□ 将两页平铺为一页使用时，不好书写
□ 很难保持打开的状态

螺旋装订

优点
□ 将两页平铺为一页使用时，很好写
□ 拆解单页简单
缺点
□ 收纳时，螺旋会碍手碍脚
□ 背面不能贴标签

选择笔记本的标准② 纸张质量

根据所用书写工具的性能决定

纸张质量，因笔记本各异。什么样的纸张质量好，判断标准是随着使用铅笔、圆珠笔等不同书写工具而有所变化的。根据自己对常用书写工具的感觉以及书写时是否会渗透至背面来考量。此外，要留意笔芯在 0.3 毫米以下的特细圆珠笔，在碰到质地差、很粗糙的纸张时，可能无法书写。通过各种尝试，找到对自己来说最佳的笔记本和书写工具。

☑ 检查

有的笔记本具备特殊功能

有的笔记本具备特殊功能。比如，那种为了方便拆解中间有缝纫线的笔记本。不仅方便与其他资料一起保存，而且便于把笔记交给他人。另外，还可以用胶带封上笔记本。

选择笔记本的标准③
格线

根据笔记本常写内容来选择

最常见的是横格线的类型，对用图解、插图笔记多的人来说，方格类型很好用。另外，方格类型是纵横线，作为粘贴物品时的一个标准，非常方便。选择什么类型的笔记本，根据笔记本常写内容来决定为好。

格线

一般规定沿着格线书写文字，所以对用文字以外因素比较多的人来讲不太好用。主要分A、B、C三种格线，C格线行距狭小，感觉跟方格类型相近。

方格

限制较小，容易按条分点书写、图解和插图。

无线

适合画画。

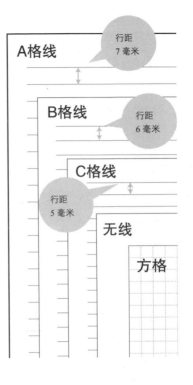

A格线　行距7毫米

B格线　行距6毫米

C格线　行距5毫米

无线

方格

采访 公司领导和资深员工篇

活用带点格线笔记本

格线上有很多点的笔记本，在贴物品的位置、纵向的位置放在一起书写比较方便。点数的宽与格线相同，可以当作方格笔记本来用。

采访对象 日本国誉索创式会社

选择笔记本的标准④
尺寸

找到最适合自己的笔记本尺寸

笔记本的尺寸一般是 B5 的，考虑桌子空间及文字数量等，选择尺寸最适合自己的笔记本。近几年，纵长变形版（袖珍型）开始流行，可以多尝试。

A4、B5

适合粘贴量比较大的人。

A5

比起适宜携带的 B6、A6 尺寸大小的笔记本，可以写下很多文字，比 A4、B5 更有冲击力，双开页打开时也可以一目了然。

B6

比 A5 更有冲击力，方便携带，尤其在站立书写时很方便。

A6

库本大小，可以放入公文包外侧口袋。

A4（210毫米×297毫米）

B5（182毫米×257毫米）

A5（148毫米×210毫米）

B6（128毫米×182毫米）

A6（105毫米×148毫米）

□ 选择最适合自己的笔

根据用途选择自己写着顺手的笔

书写工具根据不同用途，选择自己写着顺手的笔。一般来说不论是圆珠笔还是自动铅笔都没有问题。例如画图时，笔尖粗的笔比较合适。这种笔出墨流畅，如果不怕笔迹变模糊，可以很顺手地画大图。如果想认真地写小字，选择笔尖比较细的笔。

圆珠笔
- □ 书写内容无法用橡皮擦掉，无法重写
- □ 写下的文字容易阅读
- □ 复印时字迹不会模糊不清

自动铅笔
- □ 书写内容可以用橡皮擦掉，可以重写
- □ 如果笔芯很细的话不利于阅读
- □ 复印时文字可能模糊不清

2 为何要在商务场合使用笔记本？

做笔记是简单高效的商务技巧

做笔记非常有助于提高工作效率。做笔记既能有效地整理获取的信息、经验并使其发挥效用，也有利于提高策划能力与创造力。而且，只要有笔就能做笔记。也就是说，做笔记是简单高效的商务技巧。首先，要尝试着做笔记，在不断做笔记的过程中，渐渐掌握做笔记的技巧。然后，自己不断积累出来的笔记将成为宝贵的财富。对于职场达人来说，做笔记有着重要的意义。

☐ 笔记本是什么

笔记本是整理与记录自己工作、思考的地方。如果备忘录里有重要的信息，也写进笔记本。

首先，不管什么事情，都尝试着写下来。

整理自己写在笔记木上的想法。

有效利用之前宝贵的工作反思。

☐ 做笔记的效果

笔记本有保存信息、搜索信息的作用。如果有效利用笔记，能发挥多方面的作用。

▌能理清思路

通过写出自己的想法理清思路，而且做笔记能自然提高信息整理能力。

▌能吸取教训

通过写下工作失误与对策，避免犯同样的错误，而且能找到通往成功的新法门。

▌创意之源

做策划时，写在笔记上的点子能成为素材发挥作用。把意想不到的点子组合起来，能写出新的策划。

))) **采访** 公司领导和资深员工篇

问 ：你认为做笔记有什么效果？

"把突然想到的点子和想法记下来，成为策划的素材，很方便。"

万代
女孩玩具事业部　设计团队 26 岁　女性

"过一段时间把用录音笔和电脑记下来的信息写在笔记上，写的时候回顾一遍，有利于巩固记忆。"

博报堂广告公司
创意总监 41 岁　男性

笔记的内容

无法判断该不该写的内容全部都写在笔记上。随着时间的推移，这些内容的重要性会发生变化。此外，把手账的信息系统整理到笔记本上，有利于巩固记忆。

□对工作有用的所有信息
□思维导图
□工作失误与对策
□备忘录里的便签

两个笔记本就足够

如果不知道该在哪里写什么笔记，就失去了做笔记的意义。把笔记分成商务笔记与日常笔记。在这一基础上增加笔记本会事倍功半。

把笔记分成商务笔记与日常笔记，明确各自的笔记内容，这样就能最大限度发挥笔记的作用。

如果准备了 3 个或以上的笔记本，就会不知道该在哪本记录什么，而且难以查找信息。

☐ 两个笔记本各自的功能

商务笔记
- 整理思路
- 方便日后查看内容

商务笔记是为了整理思路而写下的、方便日后查看所有内容而总结保存的笔记。

书写内容

☐**关于项目**

实行某工作项目时，写下其PDCA（参照第159页），可以成为日后宝贵的经验。

☐**关于阅读、研讨会**

提高自我投资价值是做笔记的优点之一。把在阅读和研讨会中收获的知识转化为行动清单，记在笔记本上。

☐**关于工作策划**

不论体裁，把所有素材写下来，可以有效应用于工作策划。通过画下思维导图（参照第172页）也可以把关键词用到策划中。

日记
- 客观审视自己

每天找个时间记下当天发生的事情，有利于客观审视与自我反思。

书写内容

☐**那天做了什么**

回顾一天做的具体工作。客观地写日记能培养逻辑思考能力。

☐**那天思考了什么**

写下当天的所思所想。之后回头看的时候将有所启发。

3

活用笔记本的
基本原则

为了写出完美的笔记，应遵循几个原则

　　虽然坚持做笔记是最重要的，但一股脑儿不加思考地做笔记是很低效的。写出完美的笔记应遵循几个原则。遵循原则来坚持做笔记，就能理解工作的要点，从而做到没有纰漏。也就是说，做笔记可以把你从失误中拯救出来。要遵循原则、不骄不躁踏踏实实地做笔记。坚持做笔记，渐渐地你一定会发现自己工作得越来越得心应手。

笔记的书写方式

按时间顺序来写

不分目录而是按时间顺序来写商务笔记。如果按目录来写，就容易纠结内容该属于目录的哪个部分。而且不便的一点是，回头想找当初写过的东西，也不知道记在哪里了。

☐ 分段不分类

写完一个方面之后，画条横线作为分割线，然后再写下面的内容。这样不管是什么内容，都可以按时间顺序来写，既易于管理信息，又养成保持做笔记的习惯。

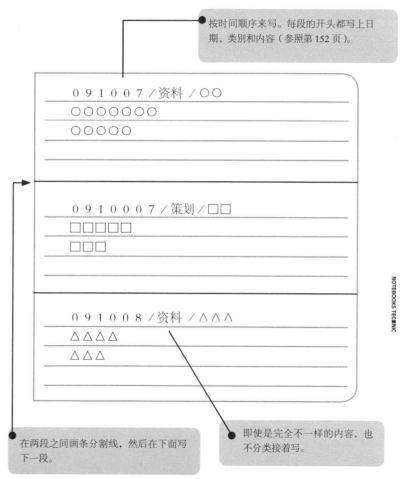

按时间顺序来写。每段的开头都写上日期、类别和内容（参照第152页）。

0 9 1 0 0 7 ／资料 ／○○
○○○○○○○
○○○○○

0 9 1 0 0 0 7 ／策划 ／□□
□□□□□
□□□

0 9 1 0 0 8 ／资料 ／△△△
△△△△
△△△

在两段之间画条分割线，然后在下面写下一段。

即使是完全不一样的内容，也不分类接着写。

☐ 尽量写得便于日后查看内容

好不容易写成的笔记，若日后不方便查看就是白费功夫。为了方便日后查看，我们应当制作索引。

▋制作索引

每一条笔记都要对应有日期、类别和内容这三项，然后用电脑把这三项转化成文档，制作索引（参照第176页）。

▋在封面写上使用时间

在笔记本的封面上写笔记本序号、起止日期。这样一来，要查看的内容日期就一目了然，笔记本便具有特定性。

< 5 >
081107
~
081214

做到便于日后查看内容

通过索引得到想要的内容

☑ 检查

视觉化管理笔记本

① 封面

为了方便日后查看内容，要在笔记本上制作索引。但是有可能费尽心思也找不到想要的内容。为了避免这种情况，每次写完一本笔记，在封面做个不一样的标记就可以了。不同的笔记本做不同的标记，花点儿心思弄完之后容易留下印象。只要知道自己要找的内容在哪本笔记本中，就不难找了。每次烦于准备不一样封面的笔记本时，可以在封面贴一个让你印象深刻的卡片。另外，也可以用照相机或手机拍下笔记本的封面，存入电脑，这样电脑上就记录了你何时用了什么封面的笔记本。

☐ 让做笔记成为习惯

为了写出完美的笔记，首先必须让做笔记成为习惯。

▌不坚持，做笔记就失去意义

坚持做笔记，信息积累得多了就有价值。只要某个时期不写笔记，内容就完全脱节，做笔记的意义就减半。

▌坚持做笔记的诀窍

一开始不要想写得完美。另外，不要过早追求做笔记的效果。做笔记最重要的是坚持。

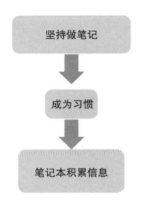

坚持做笔记

↓

成为习惯

↓

笔记本积累信息

坚持做笔记是有意义的!

做笔记的时间		封面
7 月	←→	橙色
8 月	←→	橙色
9 月	←→	蓝色

不同时间的笔记本用不同的封面，便于日后查看内容。

②内页

可以把内页数字化来管理笔记本。如果全部数字化很花费时间的话，就仔细挑选重要的内页实现数字化。在做笔记时，只要确认这一页很重要就可以数字化。数字化的方法是用数码相机把那一页照下来，然后在电脑里标明日期并保存。

4 商务笔记的要点一

笔记本要清爽

充分利用内页空间，做容易看懂的笔记

有的人刚开始做笔记时，容易把文字写得太挤，之后回顾很难看懂。一开始就写得很整洁的人或许不多，但留心并坚持在笔记本留空行，充分利用内页空间的话，渐渐就能做出容易看懂的笔记。笔记本和手账的不同点在于内页空间大，这也是笔记本的优势。充分发挥这个优势，写完笔记之后还可以做标注，从而写出避免工作疏漏、有把握的笔记。

☐ 笔记清爽的优点

为了以后容易看，笔记当然要做得清爽，但留白也是做笔记的一大要点。要制作写完之后还能用的笔记。

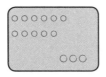

留有充分空白的笔记，不仅容易看，写完后还可以补充必要的标注。

文字黑压压一片的笔记，很难看懂。这样日后查看内容的效果也不佳。事后也难以补充标注。

□ 如何做便于事后添加标注的笔记

① 预先留白

在笔记本右边预留 7 厘米左右的空白，并画一条竖线，预先做好留白就很方便。例如，如果有不明白的单词，先在空白处写下，之后查明就可以了。

② 换主题则翻页

例如，写了某个主题，如果确定了之后这个主题要重新补充标注的话，这时不是接着马上在底下写新的主题，而是翻页开始写。这样可以保证前一个主题的补充标注有足够的留白。

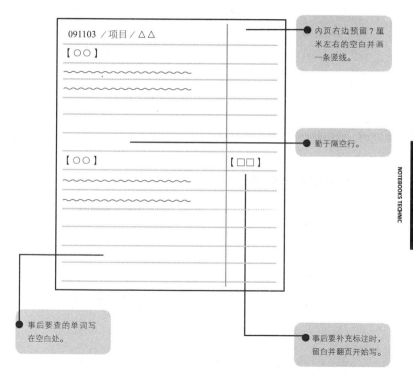

091103 ／项目／△△

【○○】

【○○】   【□□】

内页右边预留 7 厘米左右的空白并画一条竖线。

勤于隔空行。

事后要查的单词写在空白处。

事后要补充标注时，留白并翻页开始写。

文字要简洁

保持要点意识，文字要简洁

　　工作得心应手的人不会写很长的笔记，反而写得很简洁，而且笔记一目了然。注意笔记写得简洁，就能自然地概括内容。习惯写简洁的笔记，就能轻松地概括要点。这样一来，无论对待何事，都会下意识地找这件事的重点。这是使工作不出现纰漏、推进工作必不可少的技能。通过写简洁的笔记，可以确切地掌握这个技能。

☐ 什么是简洁的笔记

没必要特意数有多少字，以 30~50 字为目标。一篇笔记一个主语，一两个接续词。另外，笔记多用肯定句，避免写一眼看不懂的双重否定句。

简洁的笔记	笔记写得简洁
☐ 30~50 字为目标 ☐ 一个主语或接续词 ☐ 肯定语气	容易掌握内容 回顾顺畅 ↓ 高效

☐ 为了日后不产生误解，用直截了当的方式书写

事后回顾之前好不容易写的笔记，笔记却是错的，那真是本利全无。不要用模棱两可的表达方式，要直截了当地写笔记。这和要点意识也有关系。

避免用模棱两可的表达方式

> 这次市场表现反映了A方案吸取了上次的教训。
>
> 80%项目伙伴赞成A方案。

不用模棱两可的表达方式，直截了当地写笔记。另外，此文在30~50字之间。

不要随意写冗长的笔记

> 这次市场的结果反映了A方案吸取了上次的教训这件事情，但是并不是所有人都赞成A方案。

不宜使用"这件事情""但是"的表达方式，随意把笔记变得冗长，容易产生误解。

☐ 笔记简洁则易修改

如果要补充或改正笔记，应该写简明的标注。如果原来笔记简洁，之后写简明的标注就方便了。为此应极力写简洁的笔记。

○○○○○○○<del>○○○○</del>○○○○
○○○○○○○○○○○○○○○○
○○○○○○○○○○○○○○○○

因为可能要看改正前写的字，所以不应用涂改液来涂，而是划双重横线。

○○○○○○○○○○○○○○○○ 改正内容
○○○○○○○○○○○○○○○○ ← 090927/策划/□□
○○○○○○○○○○○○○○○○

在别的地方补充信息时，一定要写清楚。

6 商务笔记的要点三

信息要分条记录

写正确的内容，发挥分条记录的作用

前文已介绍做简洁的笔记，但并非要总结得很好。只要写的内容正确，分条做笔记也可以。发挥分条的作用，例如，写某个工作步骤时分①②③条，这样一来，既简单易懂，又便于理解和检查。这个检查的作用在于让自己理解，实际上又避免了因不理解而导致的工作失误。要尽量分条做笔记。

☐ 分条做笔记的好处

写的过程中能理清思路

分条做笔记不仅事后容易看，还有一个好处，那就是分条写的过程中能让人理清思路。实际操作中自己就会感受到这个好处，正是因为分条写，自然地能整理好写的内容。

□ 分条写的关键

即使是难以成文的内容，只要分条写就能一气呵成。因此，能分条写的就尽量分条写。

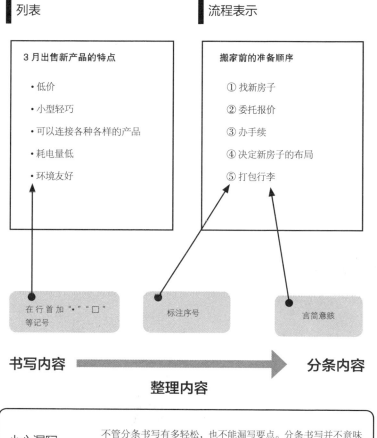

列表

3 月出售新产品的特点

- 低价
- 小型轻巧
- 可以连接各种各样的产品
- 耗电量低
- 环境友好

在行首加 "•" "□" 等记号

流程表示

搬家前的准备顺序

① 找新房子
② 委托报价
③ 办手续
④ 决定新房子的布局
⑤ 打包行李

标注序号

言简意赅

书写内容 ➡ 分条内容

整理内容

小心漏写	不管分条书写有多轻松，也不能漏写要点。分条书写并不意味着极力减少写字的量，而是预先规划一切重要的点。

商务笔记的要点四

注明日期、类别和内容

发挥检索功能，最大限度发挥笔记的价值

虽然积累了很多笔记，但不知道哪里写了什么内容，笔记本的价值就减半了。也就是说，要发挥笔记本的查看功能，让笔记本最大限度发挥价值。支撑这个功能的是索引。最后把索引输入电脑成为资料，以后可以查看，所以很有必要做具备索引的笔记。如果做出查看功能强的笔记，即使忘记了什么，只要查看一下笔记，就能马上找到。

☐ 为了事后容易查看，标明日期

每一项都标明日期、类别和内容

为了增强查看功能，关键在于每次写一个笔记都标明日期、类别和内容。事先写好，事后就可以做出便于查看的索引。

日期
类别
内容

养成写什么之前都标明日期的习惯。

日期/类别/内容的写法

日期

统一用 6 位数表示

统一用阳历的 2 位数年份+2 位数月份+2 位数日期来表示。这样既方便做索引，也容易查看。

2009 年　　10 月 24 日
09 年　　　10 月 24 日

091024

类别

做容易查看的类别

写了日期之后就写类别。实际上这在查看的时候非常有用（参照第 177 页）。但是，分类过头了，效果却适得其反。分类因人而异，但分 15~25 种就差不多了。如右表所示的分类法。

策划	关于策划。将已经确定内容的策划方案标注为"策划_OO"
资料	如果用什么资料就写"资料_△△"
内容	关于想去的地方及今后的兴趣

内容

做一目了然的总结

分类之后，用一句话概括笔记的内容，关键在于写出关键词。因为之后回顾、查看的时候也会看概括，所以有这个意识为好。

日期、类别和内容的实际操作

091024/资料/商品E的销售区域　　　　关于 2009 年 10 月 24 日商品E销售区域的资料

8 商务笔记的要点五

先从结论开始写

提高工作效率，养成先从结论开始写的习惯

　　一开始做笔记，会觉得笔记越写越多。在这里，希望你注意先从结论写起。实际操作之后再回头看笔记，肯定会大大加快对笔记内容的把握。请一定养成先从结论开始写的习惯。并且，这个习惯在各种各样的商务场合都发挥作用。既对说话者有作用，也能使听话者自然地明白谈话内容的结论是什么。为了推进工作，把结论放在前面是非常有效率的。

☐ 先从结论开始写的原因

❙ 从结论开始写的优点

☐加深结论意识
☐事后回顾一目了然
☐容易向别人说明

做笔记时先从结论开始写，因为事后回顾可以一目了然。相反，读到最后都不明白结论，耗费时间来掌握内容，非常低效。

☐ 从结论写文章的结构

写笔记内容的时候，先在开头叙述结论和要点。然后用一般理论与具体例子来说明理由和证据。最后加上确认，再一次陈述结论。

1. 开头标明结论与要点

> 商品A的市场对象应从单身人士转变为家庭主妇。

2. 用一般理论与具体例子说明理由与论据

> 分析市场调查的结果可知，从前年开始，商品A的购买阶层从单身人士转变为家庭主妇。而且，自己身边有不少人想购买像商品A这样的面向家庭的产品。

陈述得出结论的理由。这里出示客观的事实和数据。另外，也可以举出自己的经历等具体例子。

3. 总结结论

> 综上所述，我认为商品A的市场对象应转变为家庭主妇。

加上确认，总结结论。

标题与开头应尽量写清楚	像商务笔记这些与商务有关的文字，要养成先写结论的习惯，争取让人只看标题与开头就明白内容。

商务笔记的要点六

要按 5W2H 来写

记录事实的关键在于5W2H

一开始做笔记的时候，什么都写进去可能会劳心费力。这时，注意使用 5W2H（参照第 157 页）。用 5W2H 写的话，就不会遗漏应当确认的要点，还能让人自然地了解应当面谈决定的事情、应当写进报告书和策划书的内容。和知情人确认与 5W2H 相关的、尚未得到确认的地方。如果漏了要确认的地方，之后再难掌握。

□ 如何正确抓住信息

正确书写信息的要点

□事实与推测分开来写
□按 5W2H 来写
□留心要点是什么

笔记本的信息一定要正确。为此，应注意不要把事实和推测混在一起写。自己的思考与事实分开来写，写事实时把 5W2H（参照第 157 页）加进去。

数据

问： 不按 5W2H 来写有什么麻烦？

商务活动现场会有麻烦。

没有
44 %

有
56 %

公司内部调查
（以 100 位商务人士为调查对象）

□ 5W2H是什么

5W2H 是记录与传达信息时经常使用的检查项目。按 5W2H 来写可以避免遗漏重要的事情。

WHY 为什么

策划的目的、目标

WHAT 什么

策划的具体内容

WHO 谁

责任人与目标

WHERE WHEN 地点、时间

地点、时间表

HOW 怎样做

实施的具体方法

HOW MUCH 价钱

预算金额与明细

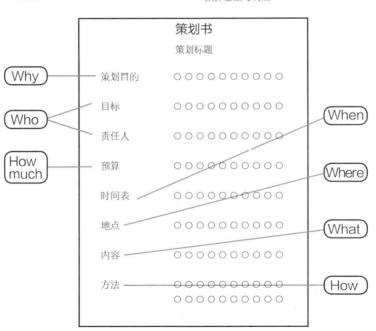

策划书
策划标题

(Why)——— 策划目的　○○○○○○○○○○

　　　　　　　　目标　　　○○○○○○○○○○

(Who)——— 责任人　○○○○○○○○○○　(When)

(How much)——— 预算　　○○○○○○○○○○

　　　　　　　　时间表　○○○○○○○○○○　(Where)

　　　　　　　　地点　　○○○○○○○○○○

　　　　　　　　内容　　○○○○○○○○○○　(What)

　　　　　　　　方法　　○○○○○○○○○○　(How)

　　　　　　　　　　　　○○○○○○○○○○

10
将工作的PDCA 写进笔记

写下PDCA，一步步增强实力

你是否有过这样的烦恼：明明从事相同的工作，为什么只有同期入职的同事能力提高并升职呢？为什么同事的能力提高了呢？原因可能在于他们没有白费自己的经验和知识，而是将其作为资本一步步积累了下来。为了能记住工作经验和知识，做笔记是有效的手段。做笔记的关键在于意识到PDCA（参照第159页），这样从过去的痛苦中得到的经验就不会白费，会融入你的血肉、植入你的骨髓。

在笔记本上积累经验的好处

写下检讨与完善经验

PDCA（参照第159页）指应该经历的工作阶段。其中做笔记是非常有效的，除此之外还有阶段C（检讨）与阶段A（完善）。工作做得好时，写下哪里做得好（C），为了下次做得更好写下（A）；工作做得不好时，写下存在问题之处（C）、如何完善（A）。

))) **采访** 公司领导和资深员工篇

问： 有没有具体例子表明在笔记中记录工作经验非常有用？

"遇到过去处理过的相同工作时，笔记中记录的工作经验对明确处理方法和处理程序很有用。"

JTB 总公司经验管理部 34岁 男性

☐ PDCA是什么

工作时跟着 PDCA 阶段走很重要。PDCA 分别指 P（计划）、D（实施）、C（评价）、A（完善），关键在于这一阶段的 A 对下一阶段的 P 有所影响。

Plan 计划（P）

工作前确认好目的与结果，写下时间表。

Act 完善（A）

思考针对所反思问题的完善对策、让工作结果更好的做法，把它们应用于下一次的工作很重要。

Do 实施（D）

实施P中制订的计划。边确认时间表，边记下工作内容。

Check 评价（C）

检查是否达成目标、是否按计划进行。写下结果和反思，评价工作结果。

工作之后在笔记本上总结PDCA

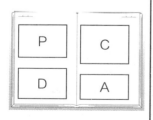

完成了一件工作之后，在笔记本对开页上写上PDCA，之后能一目了然。也就是说，自己完成过的工作成为财富。

（）) **采访** 公司领导和资深员工篇

公司需要能按PDCA工作的人才

"在推进工作上，跟着PDCA阶段走很重要。因为能清楚工作流程，停滞不前的时候也能把握原因和完善对策。而且，被人问及工作有关的内容时也能明确地回答。综上所述，公司需要能按PDCA工作的人才。写下过去工作的PDCA，对今后再做相同的工作起到很大作用。"

MVPen科技公司　总经理　男性

11

将读书应用于工作的笔记技巧

为最大限度发挥读书的作用而做笔记

读书能让人获得新知识，也能让人客观、多角度地看问题，对工作具有积极意义。读书可以说在商务人士的成长过程中必不可少。为了增强读书效果，不能漫无目的读完就完事，读完之后要做读书笔记。不过，说是做读书笔记，并不是指写下书本的要点，而是以自己能活用书本内容为目的来写。

☐ 做读书笔记

如果书里有对工作有用的内容，就记下来。不用想得很复杂，记下标题、内容等书中特有的信息就可以。

做读书笔记的好处

☐ 丰富向客户说明时使用的素材
☐ 留意到意想不到的地方，产生新的创意
☐ 积累可推荐别人看的书

☐ 将读书与行动紧密结合的笔记法

读书后，把书本的知识转化为行动清单。即使从书上学了很多知识，不实践的话也无法掌握。读书与行动紧密结合，能有效应用书上的知识。

从书里学到的知识

○ 能提供有用信息的销售人员招人喜欢

○ 对销售人员的需求因人而异

○ 深刻理解所销售的商品很重要

应用于实际行动

☐ 准备一个能取悦明天拜访的 A 客户的信息

☐ 分别整理自己现在负责的老客户的需求

☐ 做到分别用 100 个字阐述商品的优缺点

— 数据

问： 你有读书后做笔记的习惯吗？

有
18%

没有
82%

少数人有读书后做笔记的习惯。

公司内部调查
（以 100 位商务人士为调查对象）

读书与成长有关

商务人士中读书后做笔记的人似乎很少。也就是说，活用笔记和读书来锻炼自己的话，能超越竞争对手，创造机会。

12

增强自我投资效果的笔记技巧

做笔记能增强自我投资意识

现在，多数商务人士为了获得职业资格而学习或参加研讨会，他们被这种自我投资所激励，并以提高工作技能为目标。既然做自我投资，那就肯定是想获得更大的成果。但是，只是为了职业资格而学习、参加研讨会，很难获得预期的效果。为了增强自我投资的效果，灵活应用笔记很重要。通过做笔记，能增强自我投资的意识，有效提高工作技能。

☐ 为了通过资格考试

如何高效学习、减少时间投入通过资格考试呢。在此向你介绍方法。

在笔记中写出资格考试的目的、期限和活用方法

为了通过资格考试，在有限的时间里高效学习，清楚地意识到目的、期限、活用方法很重要。将这些事先写在笔记本上，能增强对它们的意识。

① 为了什么而考试（明确的目的）

② 通过考试的计划（设定期限）

③ 如何活用职业资格证（活用方法具体化）

研讨会前应该做笔记的内容

如果参加研讨会没有收获，那就失去了意义。为了有所收获，应该事前做好笔记。

① 心中的疑问

简单地写下自己面对的课题和疑问，能得到很多启发。

② 在研讨会上应该获得的信息

事前清楚地写下想在研讨会上获得什么信息，这样就会对研讨会所讲的内容敏感，高效地吸收知识。

研讨会之后做的事情

将研讨会收获的内容转化为行动清单

通过把研讨会收获的内容转化为行动清单，增强实践意识。

查清研讨会上出现的不明单词

就在当天查，上网查就可以了。重要的是当天趁热打铁。

☑检查

用后面的内页来做学习笔记

为了资格考试等学习要用笔记本时，在商务笔记的后面一页做学习笔记。用商务笔记本做笔记，能利用零碎时间来学习。

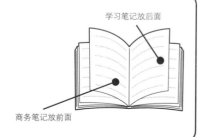

学习笔记放后面

商务笔记放前面

13

画图整理思路

将思考视觉化，把握整体思路

　　工作效率高的公司领导和资深员工经常在笔记本上画图，因为通过在笔记本上画图，对于思考视觉化、把握思考整体思路大有裨益。另外，也有人很容易在思路整理时陷入泥潭，即使觉得自己在整理思路，但实际上思绪会偏离主题，无意识钻牛角尖，限制了思考的范围。为了避免这种情况，在笔记本上画图是很有效的。要养成在笔记本上画图的习惯，高效整理思路。

在笔记本上画图的好处

想整理思路或无法整理思路时，就在笔记本上画图。只要有笔记本和笔就能画，还有各种各样的好处。

① 活跃思维

动手画图能通过运动神经刺激大脑，有效活跃思维。

② 事后能回顾

看了以前画的图，能想起当时是怎么思考的。

③ 能马上画出直线、方形和圆形

与电脑和手机不同，用笔能马上画图，也能马上修改。

□ 简单的画图法

最重要的是尝试着画图

没有画图习惯的人一开始可能不知道画图什么好，但是画图并不难，只要有直线、方形、圆形就可以成画。最重要的是尝试着画图。举个例子，右边是最简单的图，图上分出了三个要素，这样能把事情一分为三来整理，并能留空一栏作为想法工具。写法是设定一个主题，如右图所示画出三个方框，在里面写出符合主题的要素。

三要素分割图

计划成功的要素

实施可行计划

保持强烈动机	灵活应对变化

上面是把事情分成三个要素来考虑、马上画好的图。实际上，通过画图，能整理思路。

□ 画图的重点

符合逻辑地画图

画图的重点不在于画得好不好看，而在于符不符合逻辑。画图时，检查好逻辑性。另外，通过画逻辑图能整理自己的思路。并不是画完一次就完了，通过重新画更具有逻辑性的、合理的图，能锻炼自己逻辑思考能力。而且，通过考虑怎样才能画出简明易懂的图，能提高向他人条理清晰地说明事理的能力。

画图的作用

○整理思路
○培养逻辑思维能力

思考为了表达这个想法画怎样的图才有逻辑性，这件事本身就理清了思路，富有逻辑性。

□ 为了研究探讨解决对策，画逻辑树

想解决重大的复杂问题但不知如何是好时，可以通过画逻辑树来分解、整理思路。

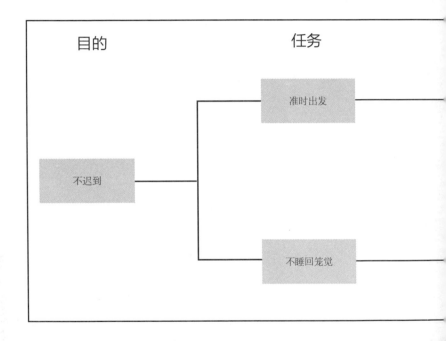

书写方法（参照上图）

❶ 在左边制作四角方框，将目标管理内容写入其中（例如不可迟到）。

❷ 为了达成❶所提出的目标，请你考虑需要解决的问题。❶向右边分支（例如：准时出发，不睡回笼觉）。

□画逻辑树的 注意事项	□画支线，要做到既不遗漏又不重复。 □想出解决对策后，待确定其先后顺序后，再行实施。 □多次尝试，反复修改，直到得到满意的答案为止。

问题

未能掌握到达目的地所需时间

因准备工作而延误了出发时间

睡眠不佳

对策

○事先查好在途时间
○提前一天做好所有准备工作
○做好最低限度准备工作后立刻出发

○保证充足的睡眠时间
○想方设法进入深度睡眠

笔记本整理术

NOTEBOOKS TECHNIC

❸ 为了解决❷中出现的任务，要思考存在的"问题"是什么。把❷的框架向右边延伸，并用支线将问题表示出来（例如：未能掌握到达目的地所需时间、因准备工作而延误了出发时间、睡眠不佳。）

❹ 思考❸中出现的问题的解决对策。（例如事先查好在途时间、提前一天做好所有准备工作、做好最低限度的准备工作后立刻出发、保证充足的睡眠时间、想方设法进入深度睡眠。）

☐ 用矩阵进行分类和整理

想理清复杂事物时，你可以尝试利用矩阵来整理。因为矩阵是用来分隔事物的图形，适用于整理。

什么是矩阵

矩阵是一种应用于分割正方形的格子图形，以纵轴和横轴两个维度来表示事物。纵轴和横轴上的数据所表示的意思是根据画图的目的来确定的。

画法（参照右图）

① 分割正方形后画出格子图。

② 确定纵轴和横轴所表示的项目（例如路径和新增内容、公司经营和个体经营）。

③ 将对应因素分别填入 4 个矩阵区域（例如：参照右图）。

	公司经营	个体经营
路径	员工 A	员工 B 员工 D
新增内容	员工 E 员工 G	员工 C 员工 F 员工 H

分割成各个区域，就能毫无遗漏地掌握全体营销员的作用。

☐ 用格子图进行比较的方法

通过画格子图来比较商品

在商务场合，用格子图来比较商品或服务项目也很有效。例如"商品 A 便宜且耗电量低，商品 B 耐用性强且设计评价高"，如果有这样的信息，你就可以比较两种商品。此时，你如果画出右图，不清楚的地方便一目了然，还可以防止研究探讨时遗漏。

	商品 A	商品 B
价格	低	不清楚
耐用性	不清楚	强
设计	不清楚	评价高
耗电量	低	不清楚

□ 充分利用SWOT分析法（态势分析法）

使用SWOT分析作为掌握自己公司发展态势的方法，定期实施。长此以往，可以有效把握公司今后的发展方向。

SWOT分析法具体操作

① 分割正方形，画出格子图
② 将SWOT分析所包含的各个因素填入相应区域（参照右图位置）。在S、W区域分别填入优势和劣势。
③ 在自己公司所处环境中，将能成为商机的因素填入O区域，构成威胁的因素填入T区域。

S	W
•商品本身具有特色 •公司历史悠久	•生产成本高昂 •未能掌握销售信息
O	T
•便利店代销商品 •与大型厂家不构成竞争关系	•整个产业停滞不前 •开拓新市场困难重重

按SWOT分析来思考公司今后的方针

①组合S和O

通过组合S（代表自己公司优势）和O（代表商机），可挖掘具有成为行业增长领头羊潜质的领域。

②组合W和T

通过组合W（代表自己公司劣势）和T（代表威胁），可预测对本公司来说有可能发生的最糟糕的事情。

□ 画定位图

理清商品定位

定位图是通过组合纵轴和横轴画出来的图形，可清晰明了地表示对象物的定位情况。这对整理自己公司商品和竞争对手公司商品各自所处的地位很有效果。如果将价格（高低）和消费者对该商品的认知度（面向家庭或单身人士）等因素放置在纵轴（参考右图），就能理清各项商品的定位情况。

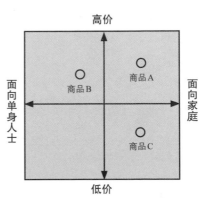

14

借助笔记本构思策划

将想点子与制作策划书的工作分开

你也曾有过这样的经历吧。坐在电脑前写策划书，时间一分一秒地不断流逝，你却毫无进展。如果有过这样的经历，你最好把头脑中的点子全部写到笔记本上。一旦这样做，你就能集中精力进行汇编，并有效制作策划书。此外，当你因无法开阔思路而苦恼时，如果活用笔记本，一定会收到事半功倍的效果。利用思维导图（参照第 172 页），以一个关键词为核心，激发灵感、迸发创意、开阔思路。

□ 用笔记本想点子的原因

将无意间想到的点子写到笔记本上

构思策划时，持续不断地将无意间想到的点子，即便是一个词也好，全部写到笔记本上。如果不将点子写下来，只停留在脑海中，那就有可能翻来覆去总是思考同一个想法。把想出来的点子写成文或绘成图，就能进一步开阔思路或整理总结成策划书。

))) 采访 公司领导和资深员工篇

问： 借助笔记本做策划的好处是什么？

"能写出点子，并把点子具体化和图像化，容易让人留下深刻的印象"。

保圣那集团　宣传部　25 岁　男性

借助笔记本反复使用点子

一旦养成了借助笔记本构思策划的习惯，你就能反复使用一次性写出来的点子或图形。

反复使用

如果将点子或图形整理到笔记本上，就能存储起来，对以后写策划书有用。

失败乃成功之母，保存失败作品

将失败的教训总结到策划书中

图解策划操作流程

实施新策划时，为了保证策划顺利实施，画出梳理各环节工作的流程图很有用。

画法

① 把流程分成几个阶段。用基础箭头将横轴中区分阶段的数字连接起来（如右图中的8月、9月、10月这三个阶段）。

② 在纵轴上标出负责各环节工作的团队（如右图中的A团队、B团队、C团队、D团队）。

③ 如右图所示，在①划分的各阶段中标上②中各团队所负责的工作。

	8月	9月	10月
A团队	市场调查	企业经营	调查销量
B团队	向生产商下订单	完成商品	向个人推销
C团队		确定广告战略	开展广告活动
D团队	确定销售区域	布置完卖场	

以思维导图为核心制作策划书

当你想制作策划书却因不知写什么内容而手足无措时，活用思维导图将事半功倍。以策划的关键词为基础，引申出策划书的必备因素。

何谓思维导图？

思维导图是一种以某个关键词为思考中心，并由此中心向外发散，产生发散性思维，利于人脑发散思维展开的图形思维工具。具体而言，就是把关键词放在思维导图中间，然后用语言把各个节点联系起来，呈现放射状立体结构，将思考可视化。

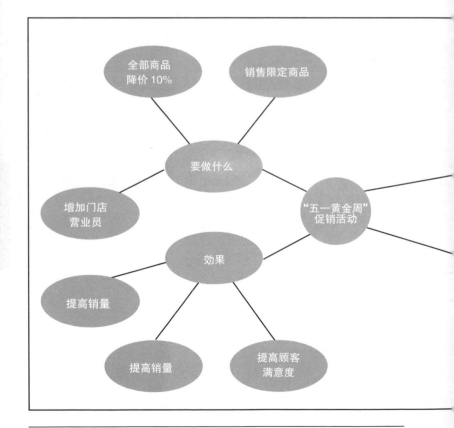

✅检查

在笔记本上画思维导图的注意事项

☐ 将从关键词延伸出来的支线数目控制在 4~7 个。如果支线过多，就难以开阔思路，不利于发散思维。

☐ 为了让你能够一目了然，将思维导图的篇幅控制在笔记本一页纸范围内。

☐ 出现了关键词以外的发散性因素后，就以该因素为关键词在新的一页上画思维导图。

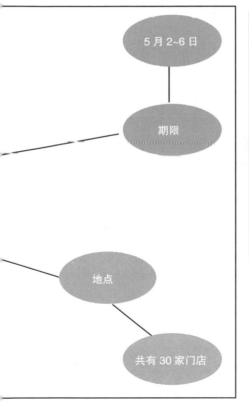

画法（参照左图）

❶ 将关键词放在思维导图中间（例如："五一黄金周"促销活动）。

❷ 在❶中出现的关键词周围添加策划必要的因素（添加延伸出的支线，例如做什么、效果、期限、地点）。

❸ 在❷中出现的各项因素的基础上引伸并添加更加具体的因素（例如销售限定商品、全部商品降价 10%、增加门店营业员、提高销量、宣传门店、提高顾客满意度、5 月 2~6 日、共有 30 家门店）。

能够掌握整个思维过程

如左图所示，画思维导图就能掌握"五一黄金周"促销活动策划书所需因素的整个思维过程。

笔记本整理术

NOTEBOOKS TECH-NIC

173

15

防止纠纷再次发生的
笔记本活用技巧

失误后在笔记本上记录防止纠纷
再次发生的应对方案

当工作上出现了失误，因而情绪低落时，你是否意识到过去也曾有同样的经历？失误后即使下决心今后不再发生同样的纠纷，如果不采取对策，也难免重蹈覆辙。这样会丧失领导和客户对你的信任。为了避免再次失误，将失误内容和预防对策一并写进笔记非常有效。为什么这么说呢？因为将失误进行客观分析后，总结出预防再次失误的对策，并撰写成文。如此一来，你经历的失误就不会白白浪费，能够成为预防纠纷再次发生的注意事项。

□ 借助笔记本解决纠纷

解决纠纷的关键是高效率无死角、采取适当的应对方法。为此，尝试事前将应对方法写到笔记本上。

罗列投诉应对方法

把应该如何处理投诉的应对方法罗列在笔记本上。不遗漏对策，下次你事前按列表中的对策来执行，就能够避免同样的问题产生二次投诉。

高效解决纠纷

除紧急情况应急处理外，你要客观分析纠纷发生的原因。分析后，将解决纠纷的必要行动写进笔记本，然后按照先后次序高效解决。

☐ 旨在事前预防纠纷的笔记本活用方法

步骤 1

**预防纠纷再次发生的对策
设定期限**

解决纠纷后制定防止再次发生的对策。
在笔记本上记录失败内容、预防对策、
实施期限。设定期限，可以避免你将预
防对策置之不理的情况发生。

步骤 2

调查是否潜存类似的纠纷

解决纠纷，制定预防对策后，你要写上
其他相关工作情况，调查并确认是否潜
存类似的纠纷。因为如果工作采用相同
方法开展，就可能发生类似的纠纷。你
事先采取预防对策，未雨绸缪，防患于
未然，就可以防止重大纠纷。

笔记本整理术

NOTEBOOKS TECHNIC

问： 是否在笔记本上记录了
发生的纠纷？

在笔记本中详细记录的商
务人士约占半数。

是 42%
否 58%

公司内部调查
（以 100 位商务人士为调查对象）

不只是记录，还要制定预防对策

虽说几乎所有的商务人士都以某种形式进
行记录，但在此基础上能否更进一步将预
防对策写进笔记本，是你与其他商务人士
拉开差距的关键。

16 用电脑制作笔记本的索引

制作准确无误的索引，提高检索的效率

如何快速找出所需信息是利用笔记的关键因素之一。换言之，在笔记本中，旨在提高检索效率的索引是不可或缺的。用电脑文档制作索引，打印后粘在笔记本封皮背面。当你想从过去的笔记本中查找信息时，输入在文档中的索引将发挥很大作用（参照第 177 页）。在需要大量信息作为必要素材时，例如准备幻灯片演示资料之际或商务洽谈前夕，你将能切身体会到索引的重要性。

□ 将必要因素输入索引

每写完一本笔记，就制作索引进行整理。索引的必要因素有："第几本笔记"和"使用时间"，以及笔记中记录的"日期""类别"和"内容"（参照第 152 页）。

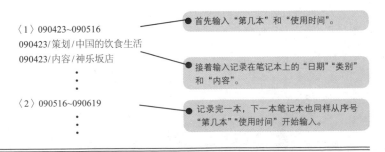

〈1〉090423~090516
090423/策划/中国的饮食生活
090423/内容/神乐坂店
⋮

● 首先输入 "第几本" 和 "使用时间"。

● 接着输入记录在笔记本上的 "日期""类别" 和 "内容"。

〈2〉090516~090619
⋮

● 记录完一本，下一本笔记本也同样从序号 "第几本""使用时间" 开始输入。

□ 索引数据化

通过制作准确无误的索引数据，能随时活用记录在笔记本上的内容。为此，要用电脑制作索引。

▍将索引输入文档

在文档中录入索引。如果通过手写记录所有索引，将耗费大量时间。另外，文件不要选用 Word 编辑（扩展名是 doc），要选用文本编辑器编辑（文件扩展名 txt）。文档容量绝对要小很多，可节约操作时间。

两种文档对比

	txt 文档	doc 文档
文件大小	小	大
插入插图、照片	不可	可
文件扩展名	txt	doc
编辑软件	记事本	Word

▍将索引打印出来后粘在笔记本封皮背面

可以从网上下载文件编辑器（文档编辑软件）。如果只用于制作索引，那么任何一种文档编辑器都可以。在文档中录入索引后，打印出来粘在笔记本封皮背面。

用文档检索的例子

想找出曾写在笔记本上的"商品 A 的原价"。

① 用文档编辑器打开记录索引数据的文件。

② 以"商品 A"为关键词进行检索。

③ 锁定与"商品 A"相关的位置。从中找出商品 A 的原价。

<4>080924/资料/商品 A 的原价

④ 参照第 4 本笔记上 2008 年 9 月 24 日记录的地方。

17

将搜集的信息存储到笔记本上

贴在笔记本上的信息将会起到激发灵感、迸发创意的作用

　　大多数商务人士为了收集信息都有阅读杂志、报纸、电子书的习惯，但即使有对工作有用的信息，也几乎都随时间的流逝而被遗忘了。如此一来，好不容易搜集的信息却未发挥任何作用。为了避免此类情况发生，储存有用信息就变得至关重要。如果有在意的文章、照片、插图等，将它们剪下来贴在笔记本上。

□　为了活用信息需要做的准备工作

在笔记本上储存的信息可以活用

不论你搜集了多少信息，如果不有效利用，就毫无意义。费尽心思搜集到的信息，如果你左耳进右耳出，就白白浪费了。为了避免这类情况发生，你可以用笔记本整理后储存起来。需要时，立刻就能拿出来使用。

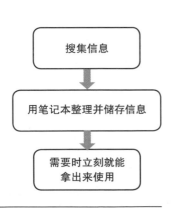

搜集信息

↓

用笔记本整理并储存信息

↓

需要时立刻就能拿出来使用

□ 将杂志、报纸上的信息储存到笔记本上的方法

▌将报道、照片、插图贴在笔记本上

一旦看到有用的资料、杂志和报纸上的报道等就贴在笔记本上，这样既增加了阅读的机会，也提高了与其他内容相结合并联想到新点子的可能性。同时，在笔记本上，不只要粘贴文字信息，也要粘贴照片、插图等内容。视觉信息也能激发创意灵感。

▌将想在空闲时阅读的报道放入笔记本口袋中

将杂志和报纸上的报道等想阅读却苦于没有时间阅读的内容放在自制的笔记本口袋中。这个口袋是将透明文件夹剪掉一半后，贴在笔记本底封上制作而成的。

笔记本口袋自制方法

① A

②

按图所示的方向摆放透明文件夹，沿虚线在中间位置裁开第一页。

（把图①中的A部分朝上，用透明胶带粘在笔记本底封，A部分只粘贴内侧。）

笔记本整理术   NOTEBOOKS TECHNIC

))) 采访　公司领导和资深员工篇

贴在笔记本上时，使用胶带可提高效率

为了将各种内容贴在笔记本上时能保持整洁又不折皱，使用胶带应属上策。这样既避免了黏糊糊地将手和桌子弄脏，又无须使用过多压力。

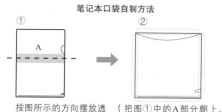

印章式点状胶

就像盖印章一样，用单手轻轻一压，即可精准上胶。把保护盖取下就可以像涂改带一般拖曳使用。可按压可拖曳，方便的两用款式。

采访对象：日本国誉索创株式会社

储存网络信息的方法

将打印出来的信息储存到笔记本上

将看似有用的网络信息和电子杂志上的信息打印出来后贴在笔记本上。同时，将想阅读又苦于没有时间阅读的内容，和杂志、报纸上的报道一同放入笔记本口袋中。

打印注意事项

首先将网络信息复制粘贴到文档中，而后打印。如果原封不动地打印，就会把无须阅读的部分也一并打印了，导致打印页数过多。一经复制粘贴到文档整理后，就能把打印页数控制在最小范围内。

① 复制所需部分

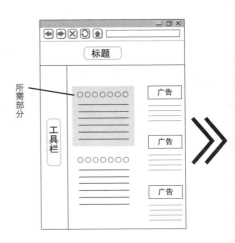

复制所需部分。如果原封不动地打印，就会把标题、工具栏、广告等不必要部分也一并打印了。

用便笺来整理思路

①将点子写到便笺上

如果你将写在手账中的点子束之高阁，就不可能有效利用。想整理这些点子，首先要把每个点子分别写在一张方形的便笺上，然后把看似有用的点子抄录到笔记本上保存。也可按②的方法进行整理。

写在手账中的点子

↓ 抄录

每张便笺上写一个点子

↓ 整理

储存到笔记本中

② 粘贴到文档中

把①中复制的内容粘贴在文档中。同时保留博客的标题、网址等表明复制内容出处的信息。

③ 打印出来

把粘贴在②中的内容换行处理为统一格式，调整后打印出来。

②用笔记本和便笺来整理思路

也可以用笔记本和①中用于抄录点子的便笺来整理思路。首先把便笺全部贴在笔记本双开页上，然后将相关便笺集中贴在一起，与无关便笺分离。这样能整理思路、整合想法，也能凝练创意。

实例展示
笔记本整理技巧

在笔记本中插入插图

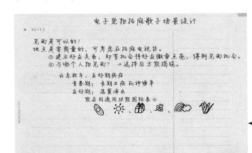

插入插图的优点

☐ 保留物体形象
☐ 成为激发灵感的线索
☐ 易于向他人说明

> 以插图形式
> 表达头脑中的某种印象

贴上你在意的内容

粘贴什么东西?

☐ 看似有用的内容都粘贴上
☐ 包括但不限于杂志、便笺、卡片、展会门票等

什么时候回顾?

☐ 希望激发灵感产生创意时
☐ 成为构思商品包装方案等的线索时

把会唤起回忆的照片、插图等贴到笔记本上。日后或许会获得意想不到的点子。

做笔记的过程中不断得到改进

　　在做笔记的最初阶段即使做得不完美，也会逐步在做的过程中得到改进。我是拜读了现实商场中成功人士的笔记，才在本书中写出了做笔记时可供参考的内容。

人物简介

万代
女童玩具业务部
原创团队
女性

如何改进笔记？

改进之前

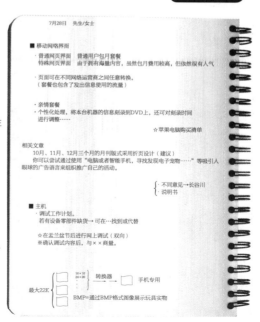

做笔记的要点
□保留充足的空白
□为了便于日后查阅，标注小标题
□分条书写
□制作简图

习惯做笔记后，慢慢就擅长做笔记了。抓住要点的笔记，便于日后回顾，益处颇多。

改进点
□写得过于密密麻麻，还是稍微留白为好。
□不要使用铅笔，改用圆珠笔写，更易阅读。

改进之后

7月28日　先生/女士

■ 移动网络界面
·普通网页界面　普通用户包月套餐
　特殊网页界面　由于拥有海量内容，虽然包月费用较高，但依然很有人气

·页面可在不同网络运营商之间任意转换。
　（套餐也包含了发出信息使用的流量）

·亲情套餐
·个性化处理，将本台机器的信息刻录到DVD上，还可对刻录时间进行调整……

☆苹果电脑购买清单

相关文章
10月、11月、12月三个月的月刊版式采用折页设计（建议）
你可以尝试通过使用"电脑或者智能手机，寻找发现电子宠物……"等吸引人眼球的广告语言来组织推广自己的活动。
　　｛ ·不同意见→长谷川
　　　 ·说明书

■ 主机
·调试工作计划。
　若有设备零部件缺货→可在……找到或代替

☆在盂兰盆节后进行网上调试（双向）
※确认调试内容后，与××商量。

最大22K　　16×16 24×26 →转换器→ □手机专用

BMP=通过BMP格式图像展示玩具实物

18

将日记引入商务场合

通过写日记能够客观审视自己

　　在你的职场环境中，肯定有工作方面顺风顺水的职场达人，比如业绩骄人的资深员工、广受周围人好评的同期入职的同事。这些人的共同特点是，不仅能客观地审视自己，还能在工作和交谈方面表现得富有逻辑性。而你虽然在脑海中也明白这些，却难以付诸实践。为了落实这些内容，该怎么办好呢？在笔记本上写日记会很有效果，按照以下介绍的要点写日记，并养成习惯很关键。

☐ 日记内容

写日记就是以客观的角度记录当天的大事小情，如此一来，就能培养出商务场合中非常重要的逻辑思维。

记录考察体会	把工作上的所思所想记到日记中。这时要注意，写日记一定要基于客观事实。如果带着感情色彩，即便是长篇累牍地叙述，也无法形成逻辑思维。
记录与工作相关的信息	如果获得了与工作相关的有用信息，就记在当天的日记中。当时就尝试客观地思考工作与这些信息之间的关联。如此不断地积累，就会形成逻辑思维。

□ 日记要点

旨在活用到工作中的日记，如果记得漫不经心，即使记了也毫无意义。那么能活用到工作中的日记是如何记录的呢？

① 抓住要点记

如果面面俱到，什么都记，就毫无意义。写日记的目的是能从客观的角度记录，并培养逻辑思维能力。意识到这一点，就会抓住要点记。

② 用工作数据说话

要有意识地从客观角度来写日记，但你对该记什么不知所措时，首先记录反映客观信息的数据。

③ 要天天写日记

不坚持天天写，日记的效果就会减半。因为，回顾当天的工作，整理大脑思路也是写日记的重要作用之一。

④ 切勿急功近利

即便已经开始写日记了，效果也不会立竿见影。写日记的意义在于，习惯性地整理每天的大事小情。

□ 因为比以往提前了两小时开始推广活动，业绩得到提升。

□ C公司的D先生（女士）期待价格低于A方案的策划案。

□ 竞争对手B公司今年夏天推出了300个限定商品S。

① 写日记要抓住当天工作的要点。举个例子来说，明白了下次再向D先生（女士）提供比A方案价格更低的策划案即可。

② 如果当天工作中出现数据，最好也写到日记中。这样一来，日后若被人问及数据情况，也能回答。此外，还能养成重视工作数据的习惯。

☐ 习惯写日记

没有写日记经验的人要养成写日记的习惯确实困难，那就从简单初级的写法入手，循序渐进地养成写日记的习惯。

步骤 1　用 5 个级别来评价当天的大事

作为培养写日记习惯的第 1 步，用 A~E 这 5 个级别来评价当天的大事，并记录到笔记本中。如果总体上顺利圆满就给最高评价 A，如果失误较多就给最低评价 E，向这样按照自身情况设定标准很关键。如果评价天天都是 E，就说明工作的推进方式存在问题，需要修改工作的推进方式和日程的制定方法。

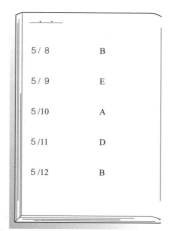

5 / 8	B
5 / 9	E
5 /10	A
5 /11	D
5 /12	B

步骤 2　将印象深刻的大事记在日记中

如果已经养成用 A~E 这 5 个评价级别来写日记的习惯，下一步就在此基础上把当天印象最为深刻的大事记在日记中。例如"公司内部幻灯片演示 A""A 公司会谈 C"，像这样把当天印象最为深刻的大事与 A~E（步骤 1）5 个评价级别相组合，你就能以自身的方式来评价当天的工作。如果没有特别值得一提的具体事情，你记上"日程安排 D""身体状况 B"之类的也无妨。

6/4	公司内部幻灯片演示	A
6/5	A 公司会谈	C
6/6	日程安排	D
6/7	身体状况	B
6/8	访问 B 公司	C

步骤 3　分条写日记

如果已经习惯用关键词写日记，下一步就分条写日记。分条把工作内容、考察体会写在日记中。例如：在日记中写"B公司的业务员比起质量更在意价格"这一考察结果，就可能成为你为客户公司制订方案时所凝练的要点。分条写日记也能充分运用到工作当中。

> 7/21　B公司的业务员比起质量更在意价格
>
> 7/22　营销员E先生（女士）英语水平高超
>
> 7/23　C公司的关键人员是D科长

步骤 4　三行字日记

如果已经习惯分条写日记，下一步就用三行字写日记。写法要点为：关于当天的主要工作，规定第1行写具体行动，第2行写行动结果，第3行写工作感想。例如，第1行写"提早将策划书提交给上司看"，第2行写"有充分时间反映上司的意见"，第3行写"最重要的是试着写出成形的策划书"，就这样写日记。

> 8/19　提早将策划书提交给上司看
>
> 　　　有充分时间反映上司的意见
>
> 　　　最重要的是试着写出成形的策划书

习惯成自然后，写日记就不用拘泥于三行字了。

如果能持续保持用步骤4中的三行字写日记，就可以说已经养成了写日记的习惯。之后就不必拘泥于三行字，抓住要点记就行。

笔记本整理术

NOTEBOOKS TECHNIC

19
写内容积极向上的日记

以积极向上的心态回顾一天的工作

　　如果你环视一卜周围的职场达人，你会发现他们通常都是积极向上的。但并不是你想要积极向上，就能积极向上的。一旦工作中出现了失误，几乎都会心情低落，更不要说保持积极向上了。所以说，想要在工作上时刻保持积极向上，你就要试着写内容积极向上的日记。长此以往，心态自然而然就变得积极向上了。还有，有意识地写内容积极向上的日记，每天下班时就能习惯性地保持积极向上的心态。即使工作中出现了失误，心情再怎么低落，也不会带入第二天。

☐ 避免带有感情且消极的表达

　　如果日记内容是消极的，那么心态也会随之变得消极

　　为了回顾日记时能立刻明白事实关系，在写日记时，明确区分客观事实与主观想法很重要。还有，要留意把日记中主观部分写成积极的内容。为什么呢？因为如果只写一些消极的内容，心态也就变得消极，恐怕就难以用积极向上的心态努力工作。客观地将失败经验、工作反思与问题对策一并记在日记中（参照第190页）。

☐ 写核心内容积极向上的日记

写日记时，除了失败教训及问题对策（参照第 190 页），尽量写核心内容积极向上的日记。

一天的工作
× 幻灯片演示不成功
O 签订了一份合同
× 工作未达到预期目标
× 遭到投诉

选出成功之处
以当日工作中的成功之处为核心内容记日记

面对工作能保持积极向上的心态
以成功的工作内容为核心内容记日记，能使自己保持积极向上的心态

☐ 分三步写

难以写出内容积极向上的日记时，就按以下三步写日记。
定好格式，就能轻而易举地写日记，心态也就自然而然地变得积极向上了。

| 今日
大事记 | 今天，首次在没有公司资深员工陪同的情况下单独进行产品推广工作。第一次到C公司拜访D先生，并信心满满地向他介绍了A方案，但当场遭到拒绝，D先生要求提供价格更低的方案。 |

| 以积极向
上的心态
考虑事情 | 即使单枪匹马上门推销，也能应对自然，不存在问题，并且掌握了C公司的情况，也了解了D先生的需求，这些就是收获。 |

| 今后的
希望 | 与经常一同进行产品推销工作的资深员工商量后，制订符合D先生要求的价格更低的B方案。然后，重新向D先生推荐B方案。 |

边思考边记录

通过写日记，形成逻辑思维

　　希望更富逻辑性地思考事物。要克服这个难题，写日记非常有效。在职场新手当中，不善于逻辑思维的人貌似很多。为此，若能通过写日记，形成逻辑思维，就能作为优秀人才活跃在职场。例如，在开会或演示幻灯片时，被问及自己负责的工作，你能回答得很有条理。同时，你能科学合理地开展工作，即使发现不合理之处，你也能做出改进。

☐　带着问题意识写日记

写日记时，你会思考事情如何演化成这样的，边思考问题原因，边写日记。这是形成逻辑思维的关键。

原因	如果部分原因发生变化
⬆ 通过思考为何会发生这种事，可以形成逻辑思维。	⬇ 如果部分原因发生变化，相应的事件又会怎样变化呢？通过这样的思考，能进一步加强逻辑思维能力。
事件	事件会怎样变化？

☐ 将问题与对策一并写在日记中

如果在开展工作过程中遇到问题，就把它与对策一并写在日记中。下次发生问题时，想想这些，会很有帮助。

怎样做才能想出对策？　为了想出对策，就要以自问自答的方式找出原因。借此整理思路，并由此想出对策。

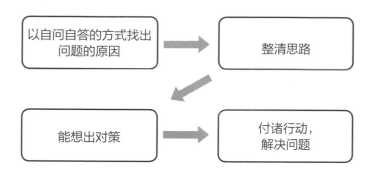

如何一并写上问题与对策呢？　把问题与对策一并写在日记中，就可以时常在工作中思考对策。但关键是不要带着个人感情进行叙述。

例① 销售业绩

问题	对策
即使在销售活动中投入更多时间，也无法提升销售业绩。	整理并总结自己实际上正开展的销售活动。与该销售活动的原本要求进行对照，看两者是否一致。

例②

问题	对策
大多数情况都是面对前来投诉的人，反应总是慢一拍，不经意间进一步惹恼了投诉人。	充分考虑前来投诉的人到底寻求何种解决办法，对于那些司空见惯的投诉，应该未雨绸缪、防患于未然，事先列出对策表，届时可以对症下药，马上找到对策。